D0833755

EDITION L · LYRIK HEUTE 2007
HERAUSGEBER THEO CZERNIK

INHALT

Geleitwort/Horst Friedrich Vorwerk   7

Gedichte   11–96

Essay »Lyrik – cave canem/Lyrik – carpe diem«,
    Theo Czernik   97

Gedichte   103–176

Hilde Domin, Essay »Die Massenerzeugung des
    Verwechselbaren. Das Buch als Ware.
    Die Überlebenschance des ›besonderen‹ Buchs«.   177

Hilde Domin auf den Freudenstädter Lyriktagen 1994   180

»Dichterin des Dennoch« Anzeige ihrer Biographie   184

Autorenverzeichnis   185

Alphabetisches Verzeichnis der Gedichte   193

Pressestimmen   198

LYRIK HEUTE

Eine Auswahl neuer deutscher Lyrik

EDITION L

in memoriam Hilde Domin (1909–2006)
und Horst Friedrich Vorwerk (1933–1997)

ISBN 3-934960-57-X

Czernik-Verlag / Edition L
68766 Hockenheim
Alle Rechte vorbehalten
Printed 2007
Schrift: Garamond
Satz und Druck: Progressdruck GmbH, Speyer

VORWORT

Lyrik Heute? Nicht selten, leider viel zu oft wird die Frage gestellt, mit dem Unterton ungläubigen Erstaunens, als handele es sich zwar um nichts Unredliches, aber um doch völlig Überflüssiges. Eine Sammlung von Gedichten für eine Zeit, der die Berechtigung für Lyrik abgesprochen und in der mit allergrößter Selbstverständlichkeit behauptet wird, Gedichte würden nicht mehr in die heutige Zeit passen.

Die Aussage, nach den Schrecknissen der Konzentrations-Lager könne es keine Gedichte mehr geben, wird nach Tschernobyl wie nach jedem anderen Ereignis des Grauens und nach jeder Wahnsinnstat wiederholt werden.

Doch vergebens. Zum Glück vergebens! Es gibt Dichter und es wird sie immer wieder geben – sofern die noch zukünftigen Schrecken überlebt werden – die (ver-)dichten, was sie bewegt und was sie anderen mitteilen möchten.

Wie die heutigen Verfasser von Lyrik aussehen? Es ist keine homogene Gruppe, zu der die Hausfrau genauso wie der Polizist, der Arzt ebenso wie der Industrie-Manager gehören, alle im Streß ihrer täglichen Arbeit und doch bereit, zusätzlich noch Gedichte zu schreiben. Sowohl die Jungen als auch das mittlere und hohe Alter sind vertreten.

Weltferne kann ihnen allen nicht vorgeworfen werden; die heutigen Lyriker stehen mitten im Leben, gehen erfolgreich ihrem Beruf nach und schaffen es, darüber hinaus noch, ihre Gedanken und Gefühle niederzuschreiben.

Warum (denn um alles in der Welt) sie schreiben? Der anfangs so selbstsichere Frager ist inzwischen irritiert, spürt, daß da etwas sein muß, das die Autoren wie eine Kraft treibt, das sie zusätzlich zu ihrer Alltagsarbeit sich noch der Mühe unterziehen läßt – und Gedichteschreiben ist mühevoll – in der Freizeit niederzuschreiben und damit festzuhalten, was sie bewegt.

Die Frage nach dem »Warum« ist leicht zu beantworten, 240 Autoren haben selbst in dem Büchlein »Der Stoff aus dem Gedichte sind«, Edition L, die Gründe für ihr lyrisches Schaffen dargelegt.

Während der eine die Zwiesprache mit sich selbst, den anderen und Gott sucht, will der andere der Natur eine Offenbarung ablauschen. Eine Lyrikerin beantwortet die Frage ganz kurz mit »Weil ich muß!«, der nächste will verborgene Gedanken ans Licht fördern oder Veränderungen zum Besseren bewirken. Eines scheint für die Mehrzahl der Autoren besonders wichtig zu sein: die Suche nach Hoffnung und das Setzen von Hoffnungszeichen – für sich selbst und für andere.

Das ist in einer Zeit voller Angst und Verzweiflung gewiß nicht verwunderlich – doch ist das je anders gewesen? Hat es in früheren Jahren weniger Furcht und mehr Selbstvertrauen gegeben?

Zugegeben: viele der Probleme heutiger Zeit sind noch vor wenigen Jahren unbekannt gewesen, doch viel Mühsal und Not früherer Generationen bleiben den Menschen der Jetztzeit erspart.

Das Spektrum aus Angst und Furcht hat sich gewandelt, die Menschen haben sich mit ihrer Umwelt verändert – ist die Lyrik heute eine andere als die der Väter und Großväter? In vielen Fällen ganz gewiß, häufig sogar mit radikalen Konsequenzen. Schon vom Äußeren her. Der Reim wurde in vielen Fällen zerschlagen. Unausgeglichenheit und Hasten der Menschen vertragen nicht mehr die beschauliche Harmonie, die getragene Ausführlichkeit früherer Zeiten – aber ist nicht ein großes Sehnen danach geblieben? Der Inhalt der Gedichte erfuhr Erweiterung und Kürzung zugleich.

Die Jetztzeit hat den Menschen mit neuen, unzähligen Begriffen und Tatsachen konfrontiert, die er nicht ohne weiteres verarbeiten kann und die ihm innere Zerrissenheit brachten – ob Lyrik ihm rettende Markierungspunkte in eine hoffnungsvolle Zukunft bieten kann? Viele der heutigen Gedichte sind Versuche, sich zu befreien, die Last abzuschütteln, Selbsttherapie.

Es ist nicht so, als fehle in der heutigen Lyrik vollständig jenes Element, das »Erbauung« oder »innere Bereicherung« vermitteln soll. Auch der Reim ist nicht völlig aus den Gedichten der Gegenwart verschwunden. Preisen edler Gefühle, Besingen von Naturschönheiten sind in den Gedichten auch heute noch zu finden – nur ist die Lyrik gegenüber früher realistischer geworden und stellt das negative Geschehen und den Mangel an Tugenden klar heraus und zeigt auf, daß Natur nicht nur schön, sondern auch im höchsten Maße grausam ist.

So braucht auch die rigorose Folgerung, nach den KZ-Ereignissen könne es keine Gedichte mehr geben, keine Gültigkeit zu haben, wohl aber, daß nach »Dachau« und »Tschernobyl« andere Gedichte geschrieben werden müssen.

Damit wird »Lyrik Heute« morgen zur »Lyrik Gestern« werden. Andere Lebensumstände werden die Menschen anders prägen und immer wieder eine neue Lyrik hervorbringen.

Doch die dichterischen Grundbegriffe werden sich kaum wandeln:

– aller Verständnislosigkeit zum Trotz weiter daran zu arbeiten, die Innenwelt nach draußen zu tragen;
– unparteiisch zu sein und doch Partei zu ergreifen;
– in einer Welt voll Kälte, Grauen und Verzweiflung Wärme und Schönheit sichtbar zu machen;
– vor allem aber: den Glauben an die alten Wahrheiten zu festigen, ohne Irrlehren zu verbreiten; die Hoffnung auf die Zukunft am Leben zu erhalten, ohne falsche Sicherheit vorzugaukeln; die Liebe weiterzugeben, ohne die große Lieblosigkeit zu verschweigen.

Horst Friedrich Vorwerk

Das Geleitwort von Horst Friedrich Vorwerk erschien bereits 1986 in der 8. Ausgabe der Reihe »Lyrik heute«. Seit dieser Zeit hat keine seiner Zeilen ihre Bedeutung verloren. Daher, aber auch aus Dankbarkeit, habe ich dieser Anthologie seine Gedanken in memoriam wieder vorangestellt.

Horst Friedrich Vorwerk war Dozent, Schauspieler, Schriftsteller und Dichter. Namhafte Verlage griffen gerne auf seine Feder zurück, denn er verstand es anschaulich über Kulturlandschaften und ihre Menschen zu berichten. Abends stand er als Schauspieler auf verschiedenen Bühnen. Fundiert waren seine Theaterkritiken. Unvergesslich bleibt sein selbstloses Mitwirken an unseren Freudenstädter Lyriktagen, die er über zehn Jahre vor Ort leitete, eröffnete und das Wort an literarische Prominenz gab wie Hilde Domin, Marcel Reich-Ranicki oder Wolf Biermann. Als Dichter trat er besonders hervor mit seinem Gedichtband »Obdachlos«. Darin setzte er sich für die Entwurzelten auf der Straße ein. Die Heimat- und Rastlosigkeit der Berber, ihr stetes Unterwegssein, erfüllt von unstillbarer Erlösungs-Sehnsucht, lag ihm besonders am Herzen: für ihn waren sie eine lebende Metapher für die Situation heutiger Lyrik.

WEIßES BLATT TAG

Dieses weiße
Blatt Tag
unbeschrittene
Schneise

Du musst sie gehn
wo hindurch

Farben
wie viele
Verfärbungen

Laß nicht dem Raben
das dunkle Schlusswort

Gabriele v. Hippel-Schäfer

SUCHE NACH DEM WORT

Wir suchen neu das Wort,
das aus den Schienen reißt,
uns wirft vom hohen Ross,
das eine Türe öffnet
und uns zu Kindern macht.

Wir suchen neu das Wort.
Es will sich finden lassen.
Es braucht das offne Ohr,
das unbewehrte Herz.
Schon immer sucht es uns.

*

MODEFERN

Das Kleid
fern der Mode einst
herausgeholt nach fünfzig Jahren
ist noch tragbar
wie eh –

welch Hoffnung
für das Gedicht in der Schublade!

Gabriele v. Hippel-Schäfer

LAND'S END

Stehen und schaun
in Uferloses

Kein Schritt
führt hier weiter

Vom Hörensagen
gewusst, geglaubt:

auch jenseits
ist Land und Leben

Doch dieser Zwischenraum
raubt dir den Atem

Gabriele v. Hippel-Schäfer

SONNENAUFGANG AM SEE

Sonne geht ins Wasser
spült ihr Licht
ans Ufer

Du setzt Tag
für Tag
in den Sand

Nacht für Nacht
eine Sehnsucht
mit zwei Rücken

Sie geht der Sonne nach
die Haken schlägt auf
dem Weg nach dir

Das Glas Wein
in der Hand
kreist um Mund
und Stunden

Will die Stille
zwischen den Schläfen
und dem Herzschlag
die Sprache hinter
den Worten erfühlen

Mechthild Bordt-Haakshorts

TATSACHE DES VERLUSTES

Es ist Juli
der Atem
schlägt um

So könnte es sein
wenn die Zeit entweicht
kein Gedicht mehr kommt
ich ohne einen Kuss losgehe
die Haut den Geruch zusammenfaltet
das Auge deinen Körper nicht mehr umarmt
der Blick in kein Buch mehr schreibt
sich einschließt
der Mut keine Geschichte wird
ein fremder Morgen aufsteht
ohne uns fortgeht

Die Zeit schaut sich
nicht nach mir um
wenn sie geht

Mechthild Bordt-Haakshorst

URLAUB

Einen
Leuchtturm erben
das Meer beleuchten
wenn die Sterne
nicht reichen

der Mond fortgeht
die Nacht in den
Wellenbewegungen
versinkt

der Strand
alleine bleibt
die Wellen
zurückschiebt
deine Schritte
trinkt

mit einem Streifen
Licht auf deinen
Schultern

Möwen heften dir
den Schrei auf
den Mund.

Mechthild Bordt-Haakshorst

Fremd geworden
die Landschaft gefügt
aus Berichten jener
die sie bewohnten und
lange schon gingen

Ein Fremdes in mir
vertraut sich ihr an
erkennt sie im Traum
tauscht aus mit ihr
vergessene Worte

als wäre es möglich
am Ende zum Anfang
zurückzufinden dorthin
wo alles Vertrauen
begann

Johanna Anderka

NACHLESE

Vergessene Viertel durchstreifen
zwischen den Zeilen der Häuser
Vergangenheit lesen

Straßennamen versprachen Heimat
ernannten Räume trümmergesäumt
zu einer Zukunft Zuhaus

Dieser lange Satz der mich schrieb
mit fremdgewordenen Worten
nicht übersetzbar mehr

nur meinen Träumen vertraut noch
als Druckspur geblieben
als blasse Kopie

Johanna Anderka

LANGER ATEM ANGST

Blutfarben im Herbst
die prächtigen Brände
die Untergänge wieder wie
damals da Tage fielen
als welk gewordenes Laub

und endgültig schien
das Verschwinden der Sonne
das Sterben der Farben
im Zugriff der Angst

Alt geworden auch sie
zu Asche verbrannt nun
und kaum noch zu spüren
ihr langer Atem nichts
als ein Hauch Rauch

Johanna Anderka

Es
muss ja nicht
mein Eigen sein.

Ich
möchte es mir
nur selbst zusprechen

und
es auch
annehmen können –

das
mich erlösende
Wort vom Wort.

Detlev Block

LEICHT ZUM LOSLASSEN

Bitterkeit,
die das Herz
schwer macht.

Ja – aber
es gibt auch
eine Bitterkeit,

die das Herz
leicht macht,
sage ich.

Leicht
zum Loslassen
und Davonfliegen.

Detlev Block

21

VON DER SCHÖPFUNG LEBEN LERNEN
– Psalmlied –

Von der Schöpfung leben lernen
aufmerksam jahraus, jahrein.
Deine Wunder, Gott, entdecken
und von dir gesegnet sein.

Von der Sonne Wärme lernen
und Veränderung vom Mond,
weil doch seinen Lichtgestalten
große Treue innewohnt.

Von der Erde Leben schützen
und es mütterlich erneun.
Von den Sternen stille Demut,
einer unter vielen sein.

Von dem Wind Impulse geben
und vom Sturm die Leidenschaft.
Von den Wolken leises Schweben
und vom Regen Wuchs und Kraft.

Von den Blumen leuchten lernen,
von den Steinen Festigkeit.
Von den Bäumen standhaft wurzeln,
Frucht ansetzen, die gedeiht.

Von den Vögeln singen lernen,
Lebenslust und Höhenflug
und den Jahreszeiten glauben:
Jede Zeit ist schön genug.

Von den Blättern fallen lassen,
was der Herbst von selbst verweht,
und vom Frühling wieder lernen,
dass der Schöpfer zu uns steht.

Detlev Block

aufgedornt
im harfengeäst der floribunda
dein wort

verherbstet
hängen die hagebutten
sprungbereit

hellhörig
streicht der wind
die saiten

*

ELOHIM

auf der eishaut
glitterfalten
darunter
engelslächeln

schneebewacht
die sommerflügel
und das locken

abwegig

Margaretha Schmucker

LUFTSPIELE

in den kokon deiner worte
abgeseilt
gegengewirbelt
im gefieder der sprache

flügellos trägt mich
im atemwind
eine rose
in dein gedicht

*

AM SAUM DER ALLEE

baumgekrönt
die hellen tage

mich wendet die zeit
ungezählte schritte

komm,
mein freund
am saum der allee
halten wir rast im flug

versäumen wir uns

Margaretha Schmucker

Dank an Hilde Domin

Müde geworden
aber nicht zu müde
»dem Wunder
leise
wie einem Vogel
die Hand hinzuhalten«

immer von neuem
dem Wunder

leise
dem Vogel
Wort

Gabriele Markus

ZWISCHEN DEN ZEILEN

Zwischen den Zeilen
das ausgesparte Wort

den Verwüstungen entkommen

keine Offenbarung
kein Bekenntnis

das kleine
Verschweigen.

*

LEBENSLAUF

Wer weiß wovon einer
geträumt hat
bevor er sich selbst
aus dem Weg geht
oder als Schatten
neben sich her läuft
lebenslang.

Gabriele Markus

Vom ewigen Leben

Vom ewigen Leben
spricht mir die Zeit
in Tagen und Nächten
in Ebbe und Flut
vom Werden
und Wachsen
vom Reifen
und Ruh'n.

Von Wiederkehr
spricht mir die Zeit
vom Licht und vom Dunkel
von Blumen
und Kindern
von Früchten
und Tod.

Von Trost und Vertrauen
spricht mir die Zeit
geborgen und sein
im ewigen Kreis.

Rita Herweg

ZAUBERWORTE

Worte sprechen und
den Schlüssel finden
zum Herzen oder
Wunder geschehen lassen
Türen öffnen und
Dinge in Fluss bringen
oder
in die Luft werfen
Zauberworte.

*

ELEMENTE

im Schein des Feuers
lacht meine Seele

im Hauch des Windes
spür ich mich selbst

im Lauf des Flusses
fließt mein Leben

auf schwarzer Erde
werde ich mein

Rita Herweg

Dass ich den Mond sehe
den Vollmond versteht sich
und den Pulk der Plejaden
nach langen Regennächten.

Dass ich den Bach höre
den Wildbach versteht sich
und den Johann Sebastian
vertraut wie zum ersten Mal.

Dass ich die Klugheit spüre
die biblische versteht sich
und wie sie mich einspannt
in steigenden Spiralen.

Dass im Steinbruch
die Bussarde noch
kreisen.

Wolf Wiechert

HEIMWÄRTS

Verführerisch rund
hängt die massige Sonne
über den steigenden Nebelbänken
längst vergangene Sommer
suggerierend.

Und du fährst
abblendhell in die
fallende Zeit.

*

FAKT

Deine weißen immer
noch vollen Schenkel
unter der jungen Karfreitagssonne
bräunen mein Winterherz
eine Spur lüsterner.

Das ist was
ich meine
Lenz. Frühling.

Wolf Wiechert

HINGABE

Am Wegrand standest du –
ein fragender Blick
zu meinem offenen Fenster.

Ich sah Konturen deiner Stimme,
Goldfäden in den Augen,
Blicke, die mich trafen.

Wir gaben uns die Hände,
durchblätterten die Fresken
der Dämmerung.

Wolken leuchteten silbern,
in uns sprühte Tau
aufs nächtliche Haar.

In schimmernden Facetten
erloschen ungestillte Träume
im aufbrechenden Morgenrot.

Kurt Schnurr

Nacht entlang den Alleen,
weißt du wohin?

Vielleicht ein Bogen
zu dir raschelnde Windspur?

Doch kalt ist der Schleier
deines Atems,
der den Mund schließt.

Wir halten uns fest
und wissen keine Antwort
den Schatten zu geben,
die sich über uns beugen.

Nur das Geländer vor uns
tastet die Blicke,
die wir wie hindämmernde
Vögel aussenden.

Kurt Schnurr

ERNTEHELFER

Keuchend unter der Last,
überall Nahrung
in braunen und roten Farben,
Kerne dringen nach draußen,
preisen süße Verlockung
in aufgemischter Herbe,
bis Reife aus allen Formen platzt,
in Apfelbäumen duftet,
mit Nektarinen spielt
und Pfirsiche begütert.

Am Ende reißen Pflugscharen
den müden Boden auf.

Kurt Schnurr

JAHRESZÄHLUNG

Der Nachmittag plätschert dahin,
mit Springbrunnensprudeln im Gleichklang.

Der Abend schnell vor der Tür,
du kommst ihm im Garten entgegen.
Den Tag schließt ein Windstoß,
im Auge brennen die Stunden.

Die Nacht erzählt sich ein Märchen.
Märchen verschäumen beim Zählen der Jahre.
Rauschmittel zur Hand,
die Iris am Brunnen blättert ins Weinglas.

*

GENUG

So viele Städte gesehen,
so viele Menschen erlebt, genug.
Hinter den Augen
tausendjährige Müdigkeit.

Komm,
lass uns die Leiber kühlen
im Wellenschlag des Meers;
lass gehen den Blick auf ferne Berge.

Die Nacht fällt schnell,
Windhauch und Mondlicht dauern
und weißer Wein im Glas,
erzähl mir deine Märchen.

Johannes Feitzinger

NOVEMBERBLUES

Eigentlich wollte ich
schreiben
über Sonnenblumen
und Kinderlachen
mit goldener Feder
in Orangensaft getaucht
dass Sonne entströmt

Zugvogelworte!

Meine Flügel sind lahm.
Eine Lerche bin ich
bleiern
vom Himmel gefallen
als der Sommer schied.

Und so umarme ich
meine Traurigkeit
und summe ihr
in der Stille
ohne Worte
das alte Lied.

Ursula Kaiser

MAI

Alles im Aufbruch
alles im Umbruch
Hals über Kopf
selbst Wasser
fließt aufwärts
in Stämmen und Stängeln
steil nach oben
entgegen dem Fall
strömt es
fließt es
unaufhaltsam
unaufhörlich
der Sonne
entgegen.

Ursula Kaiser

VORANKÜNDIGUNG

Sphärenmusik, schon jetzt? Die erste Mahnung?
Was bleibt mir noch zu tun? Soll ich
Den Rasen mäh'n? Gedichte schreiben?
Oder doch lieber – was?
Und wenn ich dich nach deiner Meinung fragte,
Würdest du sagen: »Weiß ich nicht«?
Hättest du wirklich
Keine Ahnung?

*

INSCHRIFT

Zum bleibenden Gedenken ... in memoriam ...
Regen und Wind haben ihr Werk getan, den Text
Weitgehend zerstört. Bald wird man auch die Namen
Nurmehr erraten können.
Du findest das bedauerlich?
Vergessen und Vergessenwerden – beides mag
Bisweilen eine Gnade sein.

*

RÜCKFRAGE

Weinblätter, dunkelrot verfärbt, für uns
Eine Verheißung.
Sind wir, die wir von weiter kommen,
Demnächst am Ziel?

Hans Günther Merlau

MIT DIR

Mit dir
mich finden
mit dir
bei mir
zu Hause sein
und werden
Raum
der sich dehnt
grenzenlos

*

INNEHALTEN

Innehalten
im Gehen
und deinen Mund
entdecken
wie ein Dürstender
einen Brunnen

Richard Staab

WÜRDE

Würde die Stirn
mir Versteck
weil es kein anderes gibt

verböte die Stirn
meinem Herzen
den Mund

würde der Mund
aussprechen
all die Worte

die ich nicht fühle

und mich
verriete ich

*

NOCH

Der Mond geht spazieren
der Wald hat die Nacht durchwandert
der Fluss fädelt zu Wolken sich hoch

Noch ist die blaue Stunde
noch verlaufen Hell und Dunkel
noch wird allen Geistern Wegerecht zuteil

Richard Staab

IMMER WIEDER: ORPHEUS

Nun wanderst du wieder
Orpheus
die Leier im Arm
Eurydike
ich
blieb zurück
in Finsternis

du singst deinen Schmerz
Orpheus
in diese bunte Welt
von der Sonne berührt
ich
Eurydike
bin
im Nichts
vergangen

Katja Stehli-Christaller

Der Abschied

Du entfernst dich
dein Schatten
liegt über dem Leben
von gestern
deine Stimme ist fremd
und klagt über das Ende
verlaß mich nicht
spür meine Wärme
nimm meine Hand
wo willst du denn hin
ins Unbekannte
ohne mich
es bleiben so viele Worte
ungesagt
sprich mit mir
ich bin einsam

Katja Stehli-Christaller

DIE FRAU

Ich bin
durch tausende von Jahren
die Frau
die in den Kriegen starb
die Frau
die ihre toten Kinder barg
und tief in fremde Erde grub
ich bin die Dulderin
die jedes Schicksal trägt
und heimlich nur in Winkeln weint
ich bin die Frau
die früh das Wasser holt
auf weiten Wegen
ich bin die Frau
die durch den Tag zum Abend geht
und einen langen Schatten wirft

Katja Stehli-Christaller

AHASVER

Auserwählt.
Erwählt für die Straße.
Ausgestoßen.
Herumgestoßen, verurteilt
zum Unterwegsein.
Ruhelos.
Der Ruhe los,
bis in die Ewigkeit.
Doch ungebrochne
Erlösungs-Sehnsucht.
Suche auf Straßenmeeren
den Hafen »Ruhe«,
niemals erreicht.

*

RUHELOS

Meinen Geschwistern,
den Gestirnen gleich,
ziehe ich unstet
meine Bahnen,
bin rastlos wie
die wohlvertrauten
Wasserläufe,
bin wie mein Freund,
der ruhelose Wind,
mal hier, mal dort.

Horst Friedrich Vorwerk

GEHETZT

Mit Maria, Josef
und dem Kind
ziehe ich nach Ägypten,
geführt von den Sternen
eisigkalter Nachtwege,
versengt von der Tagessonne
endloser Staubstraßen.
Finde schließlich Obdach
in einer Telefonzelle.

*

ERLÖSUNG

Mit dem Leichenwagen
fuhren sie meinen Kadaver
hinaus vor die Stadt.
Ich selbst war schon längst
bei Maria, Josef und dem Kind
und hatte erreicht jenes Land,
das überfließt von Milch und Honig.

Horst Friedrich Vorwerk

*(Die Gedichte stammen aus seinem
Gedichtband »Obdachlos« 1993, Edition L)*

WORTFLUSS

Frostblauer Tag
in den Wiesen
schreibt der Bach ein
　　　S
in das reifspröde Gras.

Dem suchenden Auge
verliert sich die Schrift
im Schatten niedriger
Weiden wo die Worte
sich finden und das
Gedicht beginnt.

＊

VIEL VORGENOMMEN

Viel vorgenommen
diesen Winter aufräumen
von Altem sich trennen.

In einer dunklen Truhe
bunte Garnreste
Kreuze auf brüchigem Grund.

Die Nadel steckt noch
und sticht ins Verlorene.

Ingeborg Conradt

EBBE

Blauäugig grüßt mich das Watt.
Der Austernfischer
holt seine Beute aus der
Tiefe des Himmels.

Möwenschreie schneiden
den Wind, der dem Wasser
folgt und es treibt
im Laufe der Gezeiten.

Am Flutsaum stinkender Tang
und eine Kolonie aus Muscheln,
offen und unbewohnt.
Dort nisten meine Träume ...

Ingeborg Conradt

IN GOTTES HAND
(für sofia)

eins
in deiner
hand
wage
ich
mich

ertaste
leben
und
greife
nie
ins
leere

*

BLÜTEZEIT
(für ellen)

form-vollendet
den kelch
geneigt
vermehrt
sich leben
genährt
im vertrauen
sich
wandelnder
zeit

FREIFLUG

unter
fittichen
geborgen
trägst
du
mich
dem
himmel
entgegen

und

angst
weicht
freiheit
mit
jedem
flügelschlag

Marion Holland

FRÜHLING

Wie ein Regen
fällt
mein Herz
in das Erdreich
des Frühlings
zu den
Wurzeln der Bäume
schüttelt den
nächtlichen Sinn
voller Hoffnung auf
die nahenden Rosen
nimmt es
für Tage des Sommers
die Trauer von mir
um den immer
wiederkehrenden Verlust

Horst Saul

DAS BRANDMAL

Nur das Fallen des Wassers
vermisst die Stunde
verführt den Sommerschmerz
zu vergessen mit Liedern
Tanz und Lavendel
vom Winter beraubt
Doch die Bienen scherts
nicht sie finden genug
Die Amsel redet mir
unverdrossen zu
Salbei und Rosen sind
jenseits und hinüber
schwimme ich nicht
über den Strom zwischen
mir und den Dingen ich
ein stolpernder Fremdling
das Brandmal der
Trennung von allem
im Herzen

Horst Saul

Du hast nach mir gefahndet,
schicktest Deine Schergen
aus, verdeckte Ermittler, die sich
unter meine Tage mischten,
sich verschanzten im
Gestrüpp der Nächte,
verwoben in die Netze
meiner Zweifel.
Sie überführten mich
nach peinlicher Observierung
der Sehnsucht und schließlich
gelang ihnen noch der Nachweis
von Liebe.

Horst Saul

dieses land ist zu alt,
um sich seiner geburt
erinnern zu können,

zu alt,
die menschen vergessen
zu können,
die es gebaren –

ihre sprachen
die weisheit der jahrtausende
die zeremonien und rituale –

– die barbecues in den vororten
die drive-in bottleshops
die mcdonalds und hungry jacks;

aber

verwischen die spuren der traumzeit
nicht.

Joachim Matschoss

die kirchen
dickwändig wie gefängnisse,
staubige strassen
bis hin zu den eisenpforten,
dahinter alles geharkt.

einst waren sie schamlos,
man kam und predigte scham,

einst waren sie schuldlos
man kam und gab ihnen schuld,

ihr paradies war im sein,
nur im sein war ihr paradies.

nun führen strassen in
städte überwachter gehirne

und ihre gedanken
verlernten
das wandern.

Joachim Matschoss

HERBSTBLICKE

Die Zeit ist da.
Immer das nämliche Spiel:
Obst in den Schalen,
Blumen in den Vasen
und ich weiss,
dass es mit Dir zuende geht.
Nein Sommer,
jetzt keine Traurigkeit,
kein tränenreicher Abschied
von flirrender Hitze.

Schon fang ich an Dich zu betrügen:
morgens schleich ich in den Park,
um erste Nebel einzuschmecken.
Ich sehne mürbe Farben mir herbei,
träum mich in den süssen Schmerz von Regentagen.

Vorbei die Zeit, Sommer.
Die Erben warten schon,
reife Sprüche auf den Lippen.
Das war's, Ade.
Der Herbst räumt ab
und hat mich voll im Griff.
Wir sind Komplicen.
Die Zeit ist da.

Klaus G. Rückel

NACHKLANG

Wenn die Tage fliehen
und Staub das Vergehende deckt
warte ich
sitze und lausche
wäge die Helle
prüfe das Licht
zahle der Nacht ihren Preis
die Schwärze zu mindern
berge das Antlitz
in der Höhle meiner Hände
vergrab mich im Hoffen
es forme die Kraft meiner Seele
den Morgen zu neuem Beginn

Klaus G. Rückel

REHBERGTUNNEL

Im Tunnel
riecht es
nach Ruß, die
Schaffner erzählen,
daß sie noch
Kohlen finden
zwischen den Schwellen,
manchmal Wirbel,
fanden einmal auch
eine Schädeldecke.

Am Ende
holen sie uns
nicht
aus dem Zug, niemand
befiehlt uns,
die Hände
hinter dem Kopf
zusammenzunehmen, wir
fallen nicht
mit dem Gesicht
zur Böschung.

Im Dunkeln
hat mir einer
die Stirn
gezeichnet.

Ralf Hilbert

PALIMPSEST

Zerlesen,
Buch an Buch
mit dir, unsere Schriften
Haut an Haut, ohne
Adern zu dir hin,
ohne Wurzeln
am See: Sturm genug,
um zu lesen,
ganz Form,
unsichtbar, die Fabeln
dahinter und
ein Rest Papier
im See, und ich weiß,
wenn du lachst,
denkst du nicht an mich.

Schweigejahre,
Nachdunkeln.

Wege im Garten,
teilbar, jemand neben mir,
Schritte im Schnee:
das bin ich.

Ich werde sagen müssen,
ich möchte.
Ich möchte
mit den Wegen
allein sein.

Seitenumbruch.

Ralf Hilbert

Im Olivenbaum
Mitten im Geäst
In zinnoberroter Luft
Stumm
Ohne zu singen
Spatzen – bewegungslos
Die Flügel angelegt

Die Welt schläft
Schlaf
Aus dem Rauch von Kräutern
Aufsteigend
Von der Erde;

Summen
Sachtes Flüstern
Aus den Erdschollen;
Üppigen Blüten
Entströmt bitterer
Geruch

Geschmack
Des Todes.

Gaby G. Blattl

IRGENDWANN

Eines Morgens,
irgendeines Morgens
würde sich Alles
ineinander fügen.
Zukunft, Vergangenheit,
das ganze Leben.

Alle Magie,
ein Gewebe von Symbolen,
Vorahnungen und Omen
Stück für Stück
würde sich die Vorsehung
offenbaren.

Alles, absolut alles
würde einfach und klar
vor uns liegen –
eines Morgens,
irgendeines Morgens.

Gaby G. Blattl

GEBORGEN

Dunkel umfängt mich
unter den Fittichen
unserer uralten Buche

Ich lasse die Blätter sprechen
schmiege mich an den
graugrünen Stamm
Mein Baum schenkt mir
heilende Kräfte

Er öffnet sich weit dem Leben
trotzt widrigen Stürmen
genießt Regen, Sonne und Wind

Christel Anders

NEIN DANKE

Und das will ich
auch nicht

nicht lesen
nicht reden
nicht lernen
nicht hör'n

Lass mich!

Ich will bleiben
leben wie ich
immer gelebt habe:
Im Überfluss und
natürlich bequem

Nein danke
ich will mich nicht
ändern

Christel Anders

SCHNEE

Alles bedeckt,
selbst das Unsichtbare.

Weiße Masken
und kein Ball.

Schornsteine
stehen weniger
steif.

Barmherzig zu
Ritzen und Schrunden.
Entstrengte Straßen
im Kegellicht.

Alles Langsame
wirkt zarter.

Nein,
keine Fragen
an die Natur.

Michael Rumpf

Gewiß ließe einiges sich sagen
über Sonntagmorgen,
Kaffee und Stimmung,
wie es
die Werbung befiehlt,
darüber, wie das
Schöne mißbraucht wird,
wie kalkuliert
das Diffuse wirkt,
über die Sehnsucht
jenseits der Pointen
und über das Frühstücksei.

Aber wahrscheinlich,
wahrscheinlich aber
nützt alles nichts,
wenn man
nicht durch die Gegenwart
hinsinken kann bis
auf ihren sich
versagenden Grund
oder springen durch sie
wie der rasante
Kraftwagen
durch die Plakatwand,
aufsetzend neben
dem Honigglas.

Michael Rumpf

DER TON MACHT DIE MUSIK
unheimlich heimlich

Vorsorgend nun, doch ruhig
stellen wir Matten und Krüge bereit,
binden die Trauben hoch:
Das Weitere ist unbekannt,
war und ist in diesem
trüben Himmel verschlossen,
wo ein weinrotes Licht gerinnt
und der Finkenschlag
bereits eisig anmutet.

Hier in diesen ruhigen, klaren Sätzen
verrinnt und verbrennt,
was ich nicht besitze
und dennoch verlieren muß:
Im Gleichgewicht vergangene und kommende Zeit.
Wie dem auch sei, ich kam hierher,
Nachlaß unerkennbarer Zeiten, glühe, warte.
Ohne ein Ende werde ich, die ich bin,
finde Ruhe in jenem leeren Licht.

Claudia Beate Schill

SPINNEN DIE PARZEN
unerhört erhört

Rot geht die Sonne schlafen,
in ernsten Schlußoktaven
klingt aus des Tages Freude,
und lose Lichter haschen spät
nach sich auf Dämmerkanten.
Schon sät Nacht Diamanten
in diese blassen Formen,
schenkt sich die Sonne
ins junge Grün
mit großen Lettern.

Trägt Frucht jene Wurzel
im kleinen Tod
über dem Scheitel.
Länger ist's Blut
als röteste Rosen
und kaum zu glauben.
Im Licht zerrinnt nichts,
dunkelt es tief bei Engeln,
in ernsthafter Drohung
kehrt wieder Gesang.

Claudia Beate Schill

Einmal im Jahr
Auszeit nehmen

Wind
tanzt die Melodie
des Aufbruchs

Sanduhr
läuft der Spur
entgegen

Zeitgeschehn
bleibt
außen vor

Einmal im Jahr
alles auf Anfang

Himmel
Weite
Atemraum

Regine Plaß

FERIEN

Jeden Tag
neu erfinden
können im Takt
von Ankunft
und Aufbruch

Auszeit erfahren
Vakuum zulassen
Schutzhülle öffnet sich

Geschenkte Möglichkeit
des Rückzugs in das eigene
Gehäuse
auf inneren
wie äußeren
Reisen

Freiraum
selbst bestimmter
Zeiteinteilung

Urerlaubnis
zu sein

Regine Plaß

Wem die Träume Flügel geben
Kann ins Grenzenlose schweben,
Dem springen alle Schlösser auf,
Der kann im dunkelstem Verließe
Azurblaue Himmel sehen,
Sternensträuße armvoll pflücken
Und über Regenbögen gehen!

Wem die Träume Flügel geben,
Wird Hoffnungsgrün und Liebesrot
Und Glaubensblau in seinen Teppich weben,
Dem werden goldne Sonnen strahlen
Und weiße Tauben in den Äther schwirren
Und kleine Engel bunte Fenster
In seine Seele malen.

Wem die Träume Flügel geben
Wird immer wieder sich erheben,
Der hört die Weltenchöre jubeln,
Hört Orgeln feiern, Violinen jauchzen,
Dem werden köstlich-süße Brunnen rauschen
Und tausend Vögel lieblich für ihn singen –
Wenn seine Seele ist bereit zu lauschen!

Sigrid Fuchs-Mattmüller

Nur wenn Orpheus
die Leier hob
tönte es in mir
stand die Zeit still
Lauter schlugen
die Trommeln des Regens
und durchsichtiger schienen
die Klänge des Schnees
Da waren heller der Tag
und die Farben
Purpur dein Mund
Klarer war die Nacht
in der sich die Stirne
den Sternen anbot
zu dichten
Da schnitt die Liebe
tiefer ins Fleisch
und
Gott war näher
und hatte
mehr Gesichter
als sonst.

Franz Graf

TITAN

Wer bist Du?
Dass Du sendest Sonden
zu Planeten und Trabanten
dass Mikroskope dringen
in die Welt
der Atome und der Quanten
Bist Du es, der die Ordnung schuf?

Nein, aus dem Innersten des Innern
hörst Du der Stimme Ruf:
Die Welt hat sich Dir aufgefaltet
so dass die Sonnen halten
sich die Waage
und Du erkennst das Schöpferwalten
Bist selbst ein Teil der
grossen Frage.

Franz Graf

Wenn ich schreibe
bin ich
ganz in mir
tief in meiner Stille
lausche
in mein Grundgefühl
suche
taste
finde
die Umsetzung
ins Wort
dulde
keinen Widerstand
irgendeines
Zeichens
ordne und
formiere bis
Substanz und Tenor
rhythmisch
ineinander
greifen

Wenn ich schreibe
bin ich
auch dir
sehr nah

Rita Gabler

VON DER FARBE ZUR FORM

schnapp den Zufall auf
lass ihn niemals fallen

schnapp den Zufall auf
lass den Einfall fließen

schnapp den Zufall auf
ungezäumtes Ungewolltes

nicht willentlich
und doch gekonnt!

*

ICH & DU

Ich sehe was, was Du nicht siehst
und das ist ...

nah und fern
vertraut und fremd
hell und dunkel
deins und meins

Der Spiegel des Gegensätzlichen –
Leben und
leben lassen

Du siehst jetzt was, was ich nicht sehe
und das ist ...

Gunhild Krause

Leben ist Gehen,
nicht Stehenbleiben und Umdrehen.
Weiterwandern
auf unbekannten Pfaden.

Leben ist Wandern
ohne Wanderkarte,
offen sein
für das Unverfügbare.

Leben ist Fahren,
in Gefahren Erfahrungen machen,
fahrend erfahren wir uns
auf dem Weg zu uns selbst.

Leben ist Reisen,
Sich-Sehnen nach Fremdem,
Abschiednehmen,
Sich-Verändern.

Leben ist Aufstieg und Abstieg,
unaufhörliche Bewegung.
Nirgendwo Ankommen.
Es muß gegangen sein.

Benedikt Werner Traut

STAUNEN

Wir haben das Staunen verlernt.
Staunen
über ein herunterfallendes Blatt,
über das Vogellied
vor unserem Fensterkreuz,
über den Magnolienbaum im Mai,
über das Lachen
auf einem Kindergesicht,
über das Pflänzchen
zwischen dem Asphalt,
über die Regentropfen
am Spinngewebe,
über das Sternenzelt
am nächtlichen Himmel.

Etwas sehen
wie zum ersten Mal.
Alles mit Ehrfurcht betrachten,
das Unscheinbare entdecken
in seinen vielen Gestalten.

Staunen
ist der Ort,
an dem ich in die Stille eintauche,
der Raum,
in dem ich zu mir selbst finde,
der Augenblick,
in dem Zeit zur Ewigkeit wird.

Was wissen wir schon?

Benedikt Werner Traut

Meine Tränen –
Salzwasser
Salzig
Wie das Wasser des Toten Meeres
Sie tragen
Ohne Anstrengung
Tragen mich
Vom Meer des Todes
Zum Land des Lebens

*

VERGANGENHEIT – GEGENWART – ZUKUNFT

Ich möchte
Die Wunden
Der Vergangenheit
Verbinden
Mit der Freude der Gegenwart
Und der möglichen Hoffnung
Für die Zukunft.

Marianne Kawohl

IM EINSTIGEN UNBEHAUSTSEIN

Lautlos tratest Du ein
In mein unbehaustes Sein
Wie kamst Du nur herein
Zu mir
Ohne Tür?
Im Unbehaustsein
Mußt' ich lange hautlos heimatlos sein
Unbekannt
Unbenannt
Unbehaust
Unbewohnt
Dein Kommen hat sich gelohnt:
Mit meinem Unbehaustsein
Bin ich nun ausgesöhnt
Denn schnell und gern
Hab ich mich an Dich gewöhnt
Lautlos bewohnst Du nun
Mein einstiges Unbehaustsein
Gibt es Schöneres auf dieser Welt
Als hautnah zu Hause zu sein
Für immer ganz Dein zu sein?

Marianne Kawohl

Die Wand ist weg
Verwandelt ist der Weg
Verwandlung unterwegs
Obwohl Du weg bist
Bist Du nicht weg von meinem Weg
Gemeinsam und einsam
Einsam und gemeinsam
Sind wir unterwegs
Bleiben wir unterwegs
Auf dem Weg
Der Verwandlung
Innerlich verwandt
Und verwandelt
Wandelbar
Wandern wir weiter und gehen den Weg
Der nicht voneinander wegführt.

Marianne Kawohl

UNSER TÄGLICH BROT

»Herr schütz' vor Armut uns und Not.
Herr gib uns unser täglich Brot.
Gib volles Korn und Deinen Segen,
gib Brot auf allen uns'ren Wegen«.

So ist das Brot seit alter Zeit
viel mehr als eine Köstlichkeit.
Symbol des Lebens ist das Brot
oft Richter über Sein und Tod.

Und wer mit eig'ner Hände Fleiß
ein Brot gebacken hat, der weiß:
Wonach wir suchen – oft vergebens –
hier liegt die Wurzel uns'res Lebens.

Im Kneten, Formen, im Gestalten,
im Laib, den wir in Händen halten,
im Duft, der köstlich uns umhüllt,
betörend uns're Seele füllt.

Ein kleines Wunder ist entstanden.
Noch knusprig warm der erste Kanten
voll Würze, Kraft und Köstlichkeit.
»Herr, gib uns Brot für alle Zeit«.

Christine Zickmann

Acht Menschen bei Tische und jeder nahm eine,
die Buben die großen und Oma die kleine.
Acht Münder bei Tische in stummem Gebet:
Hab Dank, Lieber Gott und gib mehr, wenn es geht.
Und wirklich, am anderen Tage da stand
eine Schale Kartoffeln gefüllt bis zum Rand.
Und niemand, der zählte. Es war wie ein Fest
und erst, als die Schale geleert bis zum Rest,
da legte Großmutter die schmucklose Hand
auf leinenes Tischtuch. Ihr kostbarstes Pfand,
zwei goldene Ringe mit Datum graviert
als Großvater einst zum Altar sie geführt,
aus goldenen Ringen – die Großmutter lacht –
da habe sie gold'ne Kartoffeln gemacht.
Und Opa – sie sagt es der Welt ganz entrückt –
er hab' ihr ein Lächeln zur Erde geschickt.

Christine Zickmann

Einst waren wir Vier und sassen zu Tisch,
Die Mutter schnitt sorgsam das Brot.
Sie schöpfte die dampfende Suppe uns,
Wir kannten nicht Hunger, noch Not. –

Dann waren wir Drei und sassen zu Tisch,
Der Vater war draussen im Feld.
Wir löffelten traurig die Grütze nun.
Es fehlte an Gut und an Geld. –

Zu Zweit waren wir und sassen zu Tisch.
Den Bruder zog's in die Stadt.
Wir hatten viel Arbeit, doch Brot und Milch
Und wurden auch wieder satt. –

Allein bin ich nun und sitze zu Tisch.
Die Mutter ruht still im Herrn.
Was nutzet mir Wildbret, Fisch und Wein
Wie einst hätte ich es so gern. –

Margit Bachler-Rix

HEIMKEHR (1947)

Da steht er verlassen, zerfetzt das Gewand,
Sein leichtes Bündel in zitternder Hand,
Doch beladen mit der Last des Erlebten.
Es ist, als ob sie noch um ihn schwebten,
Die Geister der grausen Vergangenheit,
Und sein Blick ist trostlose Einsamkeit.
Der schmale Mund im starren Gesicht
Hat verlernt, wie man Worte der Liebe spricht.
Berge und Wälder, sie sind ihm vertraut,
Wie lange hat er sie nicht mehr geschaut.
Doch sein Herz wurde hart und weiss nichts von Glück.
Nun ist er daheim – und doch nicht zurück. –

Margit Bachler-Rix

NACH JAHREN

noch immer –
bricht aus
der Stadt
Trauer und
Klage hervor –
holt Erinnerung
Geschichte zurück –

noch immer
kaum fassend
die Ohnmacht,
die Generationen
nur langsam
verlässt
und stumm
vergessen macht –

noch immer
nur schwer
zu begreifen,
dass der Mensch
den Menschen
noch immer
zum Feind hat
und seine Botschaft
in Freiheit
     noch immer nicht
     F r i e d e n
     heißt!

Gudrun Schneider-Lichter

VOR EINEM BAUM IN AUSCHWITZ

Baum des Lebens –
     wurzeltief aus
     blutgetränkter Erde –
     schon heilig in
     Gestalt des Todes.
     Geöffnet gleich der Seite
     gibst du im
     ausgehöhlten Stamme,
     in den Konturen
     deiner Rinde
     geheimnisvoll,
     symbolhaft jene
     Botschaft preis,
     wovon die handgelegte
     R o s e
     dir zu Füßen
     kündet –
     heilgeworden und erlöst
     im Zeichen ew'gen
     Lebens – .

Gudrun Schneider-Lichter

AZALEE

Rot brennt,
wie ein Dornbusch,
die Azalee ...
als tropfte sie,
(ein Gebot des BLÜHENS
und erwartungsvoller TRÄUME)
mir GEGEN-Gift ins Blut!
Als schenkte sie mir
zaghaft
neues Wachstum ...
Als träufelte sie
sanft, sehr sanft,
GELASSENHEIT
in meine Adern und Venen,
– damit mir
eine kleine Weile
die ZEIT NICHT WELKT!

Brigitte Pixner

REALITÄT

Am Boden der Realität bleiben,
wurde ich schon oft ermahnt.
Aber – wie soll denn das gehen,
bei jemandem, der s c h r e i b t ?

Unsinn, sagte ich mir.
Und schrieb getrost weiter
und weiter
und immer weiter ...

Gut so, sprach mich da
unvermutet
eine »STIMME AUS DEM OFF« frei!

Seither
schreibe ich erst recht an
gegen Tod und Teufel
und wen auch immer.
Hoffe, auf dem Boden
einer b e s s e r e n Realität
zu landen ...

Brigitte Pixner

FERNSEHEN

Aus der Ferne fluten
Bilder Gesichter Worte
in mein Zimmer
ferngelenkt und ferngesendet
fernbedient und fernbestimmt
konsumiere ich fernes Leben
sehe fremd
und finde nicht zu mir.

*

NEUJAHR

Im Zeitrausch
ein neues Jahr
ein Meer von Zeit
ein Minutenmeer
ich schöpfe aus dem Vollen
mein Jahresplaner füllt sich
Tag um Tag
Woche um Woche
doch
wohin mit den Alltagsüberraschungen
wann die Tat-träume einlassen
wo Musik und Muse verankern
das Minutenmeer
schwappt über meine Planung
Welle um Welle
Schaumkrone um Schaumkrone
unkalkulierbares Leben

Bärbel-Wiebke Rasmussen-Bonne

REICHENAU, INSEL, MÖWENUMSCHWIRRTE
TONSUR SEINER FELDER

Hier longiert man Ewigkeiten; hier
überspringt die Offenbarung jede
Hürde; hier residiert nicht
krautige Trauer; hier sind
die Pappeln »Lichtjahre« groß
und ihre Silhouetten pilgern
auf Königswegen und Sternenstaub.
Manna-Fluide bezechen die Auen in
den Rausch eines Eden.
Auf den Insel-Pfaden schwebten wir,
manisch entrückt, wie über die
verzückte Linien-Poesie einer
herkuleischen Hand, die sich
über Küste und Geschicke spreizt.
Täglich der Spagat des Sonnen-
gottes über den Insel-Flaum,
ihre Verklärungs-Signaturen. Eine
Pallas mit Palmen-Symphonien und
einem Himmel, der in die Erde drängt.
Auch das Chaotische ist Herberge
von Ordnungs-Aspiranzen. Auch
die Welten-Süße, die Amber und
Moschus liebt, haust in Poren von Grab-
platten auch. Hier ist Tastsinn
und Nuanciertheit und nicht der
Pulverturm das Chlorophyll
aller Fühligkeit.

Herbert Kühn

die zeit
magie
aus schwerer see
aus leidenschaft
und
silberstreifen

das wort
wildfang
aus heiterem spiel
aus fiebrigem herzen
und
für die anderen

der vers
fallschirm
für scharfe zungen
und
weiche landung
verschwistert die einsamen

Elisabeth ba Schmid

Im Spiegelbild des Lebens
haben alle Gesichter dieser Zeit
denselben Ausdruck,
dasselbe Leid und auch dieselben Tränen.
Wie Worte in verschiedenen Sprachen
anders aussehen, sind sie doch gleich.
Wir haben nicht lang genug hingesehen
in die Tiefe ihrer Seelen.
Wie die Worte in einem Gedicht
auch nur beim längeren Hinsehen
verständlich werden.

*

ERINNERUNGEN

Laue Abendluft am geöffneten Fenster,
Meeresluft, Vögel singen in fremden Sprachen.
Erinnerungen schwelgen hinaus
an vergangene Tage, an damals.
Aber sie kommen irgendwann wieder,
die Gefühle, Erinnerungen und Hoffnungen.
Doch das Leben hat sich verändert,
wir haben uns verändert, es hinterließ Spuren.
Am geöffneten Fenster,
in lauer Abendluft
waren sie wieder da, die Erinnerungen,
alles war da –
und brachte die Traurigkeit aus der Ferne.

Tatjana Anders-Alich

Der Kerze Docht ist nun verloschen,
ein Wölkchen schleiert noch umher.
Die helle Flamme nur Erinnerung
an eine kurze Spanne Zeit im Hier.

Der Kerze Docht ist nun verloschen,
die Schatten sind den gleichen Weg
gegangen in ein andres Wesens Sein,
auch alle Fülle aller Augenblicke hier.

Der Kerze Docht ist nun verloschen,
was bleibt ist ungeträumter Traum,
sind leere Zimmer, blanke Tische,
ein letzter Gruß vom Waldessaum.

Der Kerze Docht ist nun verloschen,
was bleibt sind ungeschriebne Seiten.
Die Sonnenuhren eilen weiter,
was bleibt ist angestaubte Zeit.

Gewidmet meinen Eltern †

Reinhard Koch

BIN WELT DOCH SELBST

Leise betrat ich diesen Raum
auf eine unbekannte Weise.
Lebe nun in dieser Welt,
bin Welt doch selbst,
auf eine ahnungsvolle Weise.
Wird mein Spaziergang enden,
so war ich Welt
und werde es noch sein –
auf einer vorbestimmten Reise.

Reinhard Koch

GEDICHTE

Gedichte sind
Die geöffneten
Fenster
In
Meinem Haus

Verbinden mich
Mit der Welt
Und schenken mir
Luft
Zum Leben

*

DICHTEN

Worte finden
Die zusammenpassen
Wie Menschen
Die sich
Ohne Worte
Verstehen

WORTE

Da liegen die Worte
Die mir fehlen
Für mein Gedicht
Fast tret ich drauf

Ohne zu zählen
Heb ich sie auf
Warum
Fand ich sie vorher nicht?

Brigitte Richter

INNERER KEIM

Von innen schaffe deine Welt,
so ist die Welt auch dein,
schlecht ist es um dich bestellt,
lebt dich nur äußerer Schein.

Was innen keimt ist deine Welt,
sie macht dich hell und wach,
wenn nur das Außen für dich zählt
ist deines Lebens Wurzel schwach.

Du kannst deinen Tageslauf
im rechten Maße selbst gestalten,
da hört viel Fremdbestimmung auf
und du bist Herr im eigenen Walten.

Für alles was du tust im Leben,
verantwortlich bist du allein,
drum sei Herr in deinem Streben,
lass Geist und Seele deine sein.

Günter Wilms

Wenn wir sterben
fällt eine silberne Nadel
in den flammenden
Heuhaufen des Alls
und wir finden uns
im Wesen der Zeit
die im Anfang keimte
und alle Samen
ins Licht kippte.

Wir sind erloschen
und glühen doch immerfort
in jenen treibenden Kräften
die keinen Anfang kennen
und kein Ende erfassen.
Indem das Unbegreifliche
ins Begreifliche webt,
knüpft es die Flammen
am grossen Tor
zu einer Brücke
der ewigen Wiederkehr.

Günter Wilms

HERZWINKEL

Ausgesetzt im letzten Winkel des Herzens:
klein, aber unübersehbar an Größe
die Kunst der Liebe.
Spürst du sie,
versteckt, im letzten Winkel des Herzens?

Hier pulsiert heißes Blut
unter kühler Haut und
nährt blühende Phantasie.

Das Schwere, Irdische trifft
auf das Leichte, Geistige
und schweigt –
verborgen, im letzten Winkel des Herzens.

*

HERZKLÄNGE

Wirf empor –
den Klang deines
Herzens in das
Schweigen des Himmels
und schenk sein
heimgekehrtes Echo
dem Lächeln
eines Freundes

Anna Schmaus

EIN GEDICHT

Was ist der Drang auf engstem Raum,
halb Nachtgesang, halb Tagestraum?
Ein Gemisch aus freier Phantasie
und nachempfundener Wirklichkeit,
aus hellsichtiger Prophetie
und dunkelster Vergangenheit?

Ist es Gedankenreim,
ist's Bild,
einmal gebunden
und gezügelt,
ein andermal ist's
frei und wild –
was ist's, das Worte
so beflügelt?

Es drängt sich auf, will zu Papier,
strebt aus dem Inneren zum Licht,
es trägt die Dichte auf dem Panier,
so nennen wir es »Ein Gedicht«.
Und je nach Ansicht, Einblick, Standort,
gibt ein jeder selbst sich die Antwort.

Paul H. Wendland

War das Schaubild real
oder ein Tagestraum?
Saß ich unter einem Baum
hier nicht schon einmal?

Kann das denn sein?
Noch fällt zu glauben es mir schwer,
eben kam ich zum erstenmal hierher
und trank nur ein achtel roten Wein.

Jedoch ich sah genau den Ort!
Hier an diesem Meeresstrand
schrieb ich in den feuchten Sand
mit dem Finger ein Bibelwort.

Nun sitze ich hier unter Palmen
in einer vom Terror bedrückenden Zeit,
im Läuterungsfeuer der Menschlichkeit,
und forme bewegt Gedanken zu Psalmen.

Paul H. Wendland

Vielleicht wird es manchem Leser auffallen, daß das Essay »Lyrik-cave canem/Lyrik-carpe diem« (Lyrik-Vorsicht vor dem Hund/Lyrik-pflücke den Tag) bereits in einer Anthologie unseres Verlages erschienen ist. Das ist reine Absicht. Ich setze damit als Optimist auf den sogenannten Wiederholungseffekt, dem wir tagtäglich erliegen: die Werbespots, die über den Bildschirm flimmern, um uns den Wert einer Sache einzureden, die uns im Grunde überhaupt nicht berührt – und trotzdem erliegen wir ihr oft. Ich erlaube mir daher, diesen Wiederholungseffekt auf die Lyrik zu übertragen. Vielleicht könnte dieser stete Tropfen doch einen indifferenten Leser bewegen, dank der Argumente für oder wider die Lyrik, sich mit ihr zu befassen oder sie eines Tages sogar zu lieben. Ich stimme Marcel Reich-Ranicki bei, der meint, es gäbe Millionen Menschen, die noch nie Gedichte gelesen hätten und trotzdem leben – aber mit ihnen lebe es sich besser.

Lyrik – cave canem!

Gehen Sie an Lyrik nur mit Vorsicht heran. Wenn diese kleinste Literaturgattung es so schwer bei Lesern hat, dann liegt es an dem Übereifer der Dichter, die immerzu versuchen, ihre Gedanken und Gefühle – ob mit oder ohne Reim – uns aufzuoktroyieren, wobei wir doch selbst wissen, daß der Himmel blau, das Blut rot ist und die Rose nicht erst seit Goethes »Heidenröslein« Dornen hat. Besonders betroffen ist unsere sogenannte Postmoderne. Die Retina erfaßt zwar die Buchstaben dieser Texte, aber unsere grauen Zellen sträuben sich, in den verklausulierten Worten einen Sinn zu finden. Nur dank der bestechend intellektuellen Interpretation der »Frankfurter Anthologie« im Feuilleton der FAZ glauben wir dann, zu verstehen. Kein Wunder, wenn viele den Weg in den Buchladen nicht mehr finden. Dort gab es früher noch eine gemütliche Lyrikecke, in der man sich von der Muße küssen lassen konnte. »Neulich habe ich ein Wort gehört / Muße. Aber keiner konnte mir sagen / Was das ist / Muße / habe ich mir gedacht / Muß es einmal gegeben haben / Vor ziemlich langer Zeit«/. Das ist ein Gedicht von Brigitte Richter. Hier das offene Wort eines Sortimenters: »Die Nachfrage nach Poesie ist geringer als bei Nadelkissen, Katzenfellen oder anderen Auslaufprodukten.« Und auf die Gegenfrage: »Wovon leben Sie dann, bitteschön?« »Unsere Hoffnung setzen wir auf Kochbücher, Harry Potter, Dieter Bohlen und die vielen Biographien profilneurotischer Promis, die sich literarisch entblättern.« Die Medien tun das Ihre am lyrischen Ungemach. Zeitungen drucken keine Gedichte mehr ab, sie sind unwirtschaftlich, der mm-Preis für Kontaktanzeigen oder die KFZ-Börse bringen dagegen Umsatz. Wir vermissen ebenso die früher so beliebten Rezensionen von Neuerscheinungen.

Ferner ist Lyrik in Schulen nicht mehr zeitgemäß, statt dessen wird Moderation und Rhetorik gelehrt. Schüler kennen lediglich ihre Pausenglocke, die von Schiller nicht. Das Pisasyndrom ist vorprogrammiert.

In keiner Branche gibt es so viele Abstürze wie im Verlagswesen. Wenn daher ein reiner Lyrikverlag, wie die Edition L, überhaupt noch beachtet wird, dann liegt es nur an dem Nervenkitzel eines Drahtseilaktes ohne Netz und doppelten Boden.

Gedichte waren schon immer eine traurige Angelegenheit. Jedem Poeten stand der Trübsinn Pate. Nur die Angst, die Trostlosigkeit und Einsamkeit öffnen die Lippen. Was animierte die Nachkommen Abrahams und Jakobs zu ihren Jeremiaden? Ihre Bedrängnisse. Was führte zu der krankhaften Gefühlsseligkeit der Mystik? Die Entwertung des Lebensgefühls, das Unbehagen vor dem eigenen Ich, die Ewigkeitsangst. Die Angst! Nicht zu vergessen später die Todessehnsucht der Romantiker. In ihren Versen eine Flutwelle von Tränen.

Und wenden wir uns einmal heutigen Dichtern zu, einst das Salz in der literarischen Suppe. Von Lyrik kann keiner mehr leben, auch nicht als eine Ich-AG. Eine Aufzählung ihrer Berufe geht quer Beet durch den Stellenmarkt der Tageszeitungen: Studienräte, Krankenschwestern, Programmierer, Designer, Rentner, Diplompsychologen, kurz: unsere dichtenden Nachbarn, von denen aber ein jeder seine lyrischen Ambitionen wie Jugendsünden für sich behält seit Wolf Wondratscheks Äußerung über seine Dichterkollegen: »Unter einem Lyriker stelle ich mir einen Mann vor, der nicht mehr richtig pissen kann.« (Zitat im Stern vom 15. 10. 1984). Dieses peinliche Verb ist durch den Dichter Wondratschek salonfähig geworden. (Sie kennen Wondratschek nicht?). Peter Rühmkorf meint es weniger übellaunig: »Ich will aus allem nicht den voreiligen Schluß ziehen, daß man keine Gedichte mehr schreiben soll, aber den nachhaltigen, daß der Lyriker sich getrost als ein anthropologisches Monstrum verstehen kann«.

Wozu also Gedichte lesen?

Lyrik – carpe diem!

Pflücke den Tag, beginn ihn mit einem Gedicht und entdecke das Leben neu, es hilft, aus der Enge unseres Denkens und Fühlens hinauszutreten, die Welt anders zu sehen, das Leben neu zu entdecken. Das alles vermag ein Gedicht. Es ist die vergessene Sprache Gottes.

Er richtet seit Anbeginn das Wort an uns, er offenbart sich in der Poesie der Religionen aller Völker, er spricht aus den Hymnen und Psalmen des Alten Testamentes, aus den Klage-, Vertrauens- und Dankesliedern ebenso wie in der inspirierten Dichtung der Mystik. Wir begegnen in seinen Worten reinster Lyrik, gleich, ob Mahnung, Zorn oder Vergebung aus ihnen sprechen, ob sie auf die Schönheit der Natur hinweisen, auf ihre Verletzlichkeit oder auf die Unverletzlichkeit des menschlichen Lebens.

Und so sprechen denn auch wir in unseren Gedichten gleiche Themen an, drücken Dankbarkeit aus, Freude und Bewunderung, Liebe und Zuversicht, Trauer, Ängste, Warnungen – und dabei ist wohl kaum einem bewußt, daß uns diese Worte ins Herz gelegt worden sind.

Es war bewußt provokativ und einseitig, mit den Gedanken in cave canem den advocatus diaboli hervorzukehren, denn die Poesie hat seligmachende Seiten, wirkt Wunder. Ihr fehlt der drohend erhobene Zeigefinger, sie schlägt sanfte Saiten an, sie eifert nicht, verbrennt nicht, exkommuniziert nicht und erhebt keinen Anspruch auf Unfehlbarkeit.

Geben wir denen, die auszogen, Dichter zu werden, die Ehre, die ihnen gebührt. Poesietrunken besingen sie alles, Bemerkenswertes wie Banales. Novalis sagt, jedes Gedicht hat seinen Gott. Lyrik schöner Götterfunke! Hier werden Impulse vermittelt, Gefühle, Denkanstöße, Nachdenklichkeiten. Hier werden wir ein Schlagwort los: Kommunikation, das Gespräch, das der Autor mit dem Leser sucht. Es sind Worte unter vier Augen, intim.

Marie-Luise Kaschnitz sagt in ihrer Rede auf den Büchner-Preisträger 1960 Paul Celan: *»Seine Einsamkeit ist beständig auf* der Suche nach Kommunikation, er spricht nicht nur für sich selbst, sondern für sich und die anderen.« Worte, die sich auf alle Lyriker übertragen lassen. Und Celans wohl wichtigste poetologische Äußerung: »Das Gedicht ist einsam. Es ist einsam und unterwegs ... Das Gedicht will zu einem Anderen, es braucht dieses Andere, es braucht ein Gegenüber. Es sucht es auf, es spricht sich ihm zu ... es wird Gespräch – oft ist es verzweifeltes Gespräch.«

Und es gibt schöne Gedanken über Dichter. Botho Strauß in seiner Rede zum Büchner-Preis 1989:

»Der Dichter ist die schwache Stimme in der Höhle unter dem Lärm. Ein leises, ewiges Ungerührtsein, das Summen der Erinnerung. Die Gegenwart schreibt auf seinen Rücken. Inmitten der Kommunikation bleibt er allein zuständig für das Unvermittelte, den Einschlag, den unterbrochenen Kontakt, die Dunkelphase, die Pause. Die Fremdheit. Gegen das grenzenlos Sagbare setzt er die poetische Limitation. Auch ist ihm, wie vormals dem ruhlosen Lenz, die Welt ein Grund zur Flucht; ein Grund, niemand zu sein oder sehr viele. Seine Stellung, sein Ort vor der Allgemeinheit: unbekannt.«

Wenden wir uns noch der Bedeutung der Lyrik zu. Marcel Reich-Ranicki in »Ein Plädoyer in Sachen Lyrik«: »Poesie ist immer auch Protest und Auflehnung. Wer dichtet, der rebelliert gegen die Vergänglichkeit. Selbst wenn sie den Untergang verkündet, wenn sie dem Tod huldigt, wenn sie den Zerfall besingt – dementiert die Dichtung, ob sie es will oder nicht, den Untergang, den Tod, den Zerfall. Lyrik ist Lebensbejahung. Daher die wachsende Rolle der Poesie in unseren Tagen.« Das wäre schön!

Gedichte wollen auch verunsichern, den begradigten und verengten Blick stören, ihm einen anderen entgegenhalten, denn lyrisch verpackt dringen sie vielleicht eher ins Bewußtsein des Lesers als es politische Programme oder irgendwelche Grundsatzreden jemals vermögen. Das Anschauen, Beschreiben wird zur Beschwörung gegen ein Sichfügen, Resignieren – ein Aufgebot der Sprache gegen Gleichgültigkeit. Poesie als eine Art Ästhetik des Widerstandes.

Gerne zitiere ich Friedhelm Offergelds rührend emphatische Worte in einem Vorwort unserer Anthologien: »*Gedichte sind zum Weitergeben da! Offen, wie Flugblätter weitergegeben werden. ... Gedichte sollten neben den Leitartikeln stehen, weil sie die Nachricht bringen, die der Leitartikel nicht verarbeiten kann: von einem grünen Baum, verletzter Menschlichkeit, vom rücksichtslosen Fortschrittswahn, von der Liebe und letzten Hoffnung auf Frieden, die unser aller Anliegen sein müssen! Gedichte sollen Gebrauchsware sein: Spontan und griffig, direkt und ohne Verzierungen. Gedichte hatten schon immer etwas Veränderndes an sich. Die erdachte Pulverladung des einzelnen Geistes. Die Einzelaussage, die konfrontieren möchte, von Sehnsucht spricht, welche nachvollzogen werden muß!*«

Lyrik ist nun einmal nicht nur Mondschein, Liebesklage, Waldesrauschen, sie kann und soll auch in das politische und soziale Geschehen eingreifen, könnte Politikern, Gewerkschaftlern etc. Sprachmaterial geben und Leser bzw. Hörer mehr bewegen als nichtssagender, sich immer wiederholender, vielversprechender und nichts einhaltender Wortschwall.

Gedichte enthalten eine Botschaft, denn sie sind ausgesandt. Ihr Einfluß auf uns ist ein erregendes, geheimnisvolles Phänomen. Sie wollen uns anrühren. Sie haben Lippen, die uns anreden, Augen, die uns erkennen lassen, Hände, die uns führen. Sie wollen festhalten und zugleich verändern, doch was sie erreichen, liegt nicht in der Macht des Dichters, es liegt am und im Leser.

Theo Czernik

ÜBER ALLER ZEIT
Nehrung im Sommer

Sand – warm und weiß
Windbewegter rieselnder
Spurengebender und
Spurenverwischender
Verlierender du
ohne Verlust.

Ohne Verlust
Verlierender du.
In Wind und Wetter
gelöst ausgebreitet.
Zermahlener geriebener
Sand – warm und weich

Krimhild Stöver

NACH HAUSE

Die fremd besetzte Straße
meines Herkommens
fuhr ich zurück
und fand die Kindheitshimmel
niedrig und grau,

aus bröckelnden Ritzen
verbliebener Gemäuer
rieb ich Reste
meiner Seifenblasenspiele
perlend, sehnsuchtsblau,

danach aber nahm ich
mit faltigen Händen
das helle Lachen
und schob es rücklings
hastig in meine Tasche.

Krimhild Stöver

Es könnte doch sein,
daß wir uns in diesen Tagen, die gezählt sind,
noch einmal treffen,
so einfach – ohne große Worte
und künstliches Verzeihen,
Ausreden – was auch immer;
doch brauchen wir derlei Gepäck
nicht mehr zu großer Fahrt.

Es könnte doch sein, daß wir uns
wie in den jämmerlich traurigen Liedern
die Hände reichen und sprechen:
    »Wohl haben wir in Vortagen
    das übermütig zerschlagen,
    was einst heilig war«,
Doch sitzen wir nunmehr nebeneinander
im eilenden Zug, der alles läßt,
was Gewohnheit war zuvor.

Es könnte doch sein,
– das und jenes und vieles mehr –
und alles so unklar und verspätet.
Die Zeit, wie wir sie erschaffen,
hat ein Loch gefressen in unsere Leinwand,
darauf der große Entwurf, doch nicht mehr als das.
So wird zernebeln das Wort auf grauem Bahnsteig,
wenn wir, die Wartenden, uns einfrieren vor einander.
Und es wird erscheinen
der eiserne Zug der Vollstreckung.
Wir jedoch werden geheißen:
– Einsame –

Margarete Pape

Lang und oft durch ferne Welten er,
sie gereist im eignen Land,
suchend Glück dort und Erkenntnis,
Wohlstand und Erfolg,
Heimat auch, die in der Ferne nah,
Nähe, in der Fremde Trost,
Nähe, die beschützt vorm Leben und der Unruh'
auf der Suche nach sich selbst.
Das gefunden und in Ruh', finden sie einander,
treffen durch das Spiel der Götter und Dämonen sich.
Und das Ende ihrer Reise endet

und beginnt erneut

mit dem Ziel »Unmöglichkeit«
neuen Wegen – »Wahnsinn«, »Mut«,
steiniger als früher noch
und beschwerlich,
steil und rutschig, oft verstellt, doch
nie erkannte Energien schaffend
für beider Wollen,
beider Glück.

Karl-Adolf Günther

Hübsch und cool, spröde für alle,
die zu nah an Deine Welt
sich und die hohe Mauer wagen,
die Dich schützt, jedoch im Falle
eigenen Muts für IHN zerfällt.
DER darf Sternenglanz in Deine Augen tragen.

Karl-Adolf Günther

SPRACHKULTUR

Silben zu Worten verwoben,
Worte zu Wortnetzen geknüpft,
Sätze zu Sprachgittern verschweißt:
Kunsthandwerk im Sprachlabor.

In den Netzen und Reusen
der Literaturwerkstatt
verfängt sich der Unrat der Wortgewalten.
Nur Feingliedriges,
Geschmeidiges
gleitet in den Strom der Sprachkultur.

Worte, Begriffe
gedreht und gewendet
im Sog des Zeitgeistes:
Wortspiele,
Sprachnetze,
Kultursprache.

Gerd Ibler

WETTERLAGE

Der Federflügel eines Sturmgewölks
schwebt langsam, sich verbreitend
durch das Blau von Nord nach Ost.

Es reisen hinterher, massig und dicht,
zwei Wolkenberge, makaber
blasig aufgelöst der Rand.

Was folgt hat sich noch nicht entschieden:
halb licht und wattig: Wolkenthron.
halb fetzig faserig: Sturmesfahne.

Unklar ist die Wetterlage.

Gerda Selberg

SOLDATEN, DIE SIND FREUNDE!

Soldaten, die sind Freunde –:
als T o t e , n a c h der Schlacht.
Sie haben nur als Lebende
noch nie daran gedacht.

Das war ihr g r ö ß t e r Fehler:
sie haben b l i n d vertraut.
Nun tragen sie zum Markte
die kalte, nackte Haut.

Und das Geschäft mit Waffen
und Leibern brachte Gewinn
dem Dämon und seinen Vasallen!
Ist das des Lebens Sinn?!

Soldaten, die sind Freunde,
als Tote, nach der Schlacht!
Ach, hätten sie als Lebende
nur e i n m a l nachgedacht!

Peter Meurer

»... Sah man im Tod sie beisammen ruhn:
Feinde am Morgen – Freunde nun.
Ruhm ihrer Länder, galt noch sein Wert?
Was eine Kugel doch Besseres lehrt!«

Hermann Melville »Requiem«

RASTLOS
Für Gudrun

Die Sehnsucht trieb ihr Spiel mit mir,
tagein, tagaus.
Stets lockte mich der nächste Berg,
zu dem mein Herz im voraus flog.
Der Weg dorthin war meist beschwerlich.
War ich erst oben, fand ich nie, wonach ich suchte
und eilte in das Tal, dem nächsten Berge zu.
Tagein, tagaus
gönnt' mir die Sehnsucht keine Rast
und trieb mich ständig weiter.
Nie blieb ich lang an einem Ort,
vermied es Heimat anzustreben
und packte nie die Koffer aus.
Immer den nächsten Berg vor Augen,
zog es mich von Nord nach Süd,
der Gedanke ist auch ohne diese Zeilen klar
und wurde ich gefragt, wonach ich suchte,
sagte ich:
»Wenn ich das wüsste!«

Ingeborg M. Brauer

Göttin der Liebe,
aus einem Körper marmorn kühl
blickst du herab von deinem Sockel
und flüsterst:
›Amore mio‹,
lang ist es her,
seit mich des Schöpfers Hände formten,
mich erwärmten und liebkosten.
Er gab mir Schönheit ewiglich,
doch nahm er mir die Seele.
Seitdem ists kalt in meinem Herzen,
selbst meine Tränen sind aus Stein.
Du bist vollkommen, sagte ich,
das ist der Preis.

Ingeborg M. Brauer

IRGENDWO

Irgendwo – man weiß nicht wo,
ist dein Menschsein festgelegt,
gibts für dich ein Zeitenpfand
und eine Hand, die dich bewegt.

Sind wir doch geplante Wesen,
an festen Schnüren spielbereit,
alles, was wir in uns haben –
Schöpfergaben – auflösbar zu jeder Zeit.

Werden wir die Wahrheit finden,
ist das Jenseits nur ein Traum?
Oder werden Seelenlichter
überstrahlen Zeit und Raum?

Lasst uns keine Fragen stellen,
alles löst sich sowieso.
Unser Ende, sagt der Glaube,
ist ein Anfang – irgendwo.

Gudrun Martin

ALLEIN IM WALD

Jetzt darf ich eure Rinde streicheln
und mir grüne Finger holen
an der Wetterseite eurer Stämme

und ohne Furcht, daß jemand höhnt,
schützend meine Hände legen
um der Buchenblätter pralle Knospen.

Wer weiß, ob dieser Frühling nicht
schon euer Sterben in sich trägt:
Schwer auf der Schöpfung liegt des Menschen Hand.

Brutale Gotteslästerung
frißt immer neue Krebsgeschwüre
ins Filigrangewebe der Natur,

und in den fernsten Urwaldwinkeln
wuchern schon die Metastasen
unserer abgrundtiefen Gottverlassenheit.

Erika Macdonald

Sonnenmüde, menschenmüde, lärmmüde,
blaß, die Augen gerötet
vom Smog der beengten Städte
und ihrer Autokultur,
fliehst du tödlich erschöpft zu mir
und schläfst dich aus
in meinen Armen.

Was weißt du
von der heilenden Stille der Nacht?
Du siehst nicht
das honigfarbene Leuchten
des vollen Mondes
und sein Versteckspiel mit den Wolken,
hörst nicht das Raunen der Blätter
in der kühlenden Brise.
Und niemals, niemals
kannst du in die Sterne greifen.
Armer Tag!

Erika Macdonald

CRESCENDO

was ist es
das ich suche
zu allen zeiten
an orten wie diesen

wer ist es
der mich rettet
zu allen zeiten
aus ängsten wie diesen

wie ist es
was mich tröstet
zu allen zeiten
in nöten wie diesen

wo ist es
was verloren geht
zu allen zeiten
in herzen wie diesen

wann ist frieden

esther hebein

es ist das meer
das sich in meine sinne liebt

in rabenschwarzen nächten träum' ich
mir eine wiege auf die wellen
die schlafend mich ans ufer schaukelt

es ist das ufer
das mir den blick aufs meer erlaubt

in tagen aus azur erkenn' ich
wie weite sich ins lieben schmiegt
mich mündend in ein uferloses meer

esther hebein

KARMA

Es türmt der Gott
den Menschen vor dem Menschen auf !

Es steht die Zeit
vor ihrer Zeit und auch der Zeit darauf.

Es birgt der Glanz
zum Glanze auch die Dunkelheit.

Es steht zum Glück
bereit auch allertiefstes Leid

Es schleudert dunkles Nichts
durch seinen ew'gen Schein

und bricht des Daseins helles Licht
im Tod des Nichtvorhandensein.

Heide Elfenbein

TIEFSCHLAF

Ein Pfad im Traum
den du gegangen,
ein Blatt im Baum
das dort gehangen,
ein Nebelstreif,
der dich begleitet,
Kometenschweif
durch den man schreitet,
Visionen, die
vom Schlaf bereitet,
Gedankenklang,
geträumt im Schlaf,
von einer andern Welt
für dich bereitet.

Heide Elfenbein

AUSBRUCH
(In Anlehnung an »Der Panther« von Rainer Maria Rilke)

Geräuschvoll hebt sich der
Vorhang der Pupille:
Sein Blick ist wach geworden
Durchbricht die tausend Stäbe.

Ein aufflammender Wille
Tanzt über den Regenbogen
Einer unbekannten Welt –
Hat im Herzen begonnen zu sein.

*

ENTMACHTUNG

Abel reicht Kain die Hand
Erhebt sich vom Boden
Abel wird Kain
Kain wird Abel
Aus ihnen wächst
Ein neuer Baum der Erkenntnis.

*

AKZEPTIERT

Jedes graue Haar
Wie ein Jahresring
Des stolzen Baumes
Erzählt von dem
Was schon war
Und sich noch erfüllen will.

Holger Breuer

DENN ALLES LEBEN IST SPRACHE

Die Sprache macht einen selbst
klein oder groß,
laut oder leise,
polternd oder sensibel,
erbärmlich oder erhaben.

Sie macht dich
irgendwo heimisch
oder lässt dich heimatlos sein.
Sie belässt es beim Rohling
oder sie formt einen Menschen.

*

WELTUMSPANNEND

Du schenkst jemandem ein Lächeln,
der schenkt jemandem ein Lächeln,
der schenkt ...

Und etwas später,
nach einer Reise rund um die Welt,
kommt es vielleicht wieder zu dir zurück.

Kurt F. Svatek

Don Quichote würde heute
gegen die Windmühlen
der Korruption kämpfen,
gegen Geldwäsche und Bestechung,
Menschenhandel und Krieg,
Lüge, Arroganz, Chauvinismus,
die Allmacht der Aktionäre
und gegen die Zerstörung der Umwelt.

Er würde jedoch
veralbert und gehänselt werden,
verulkt und verhöhnt,
gefrotzelt und verspottet,
und er würde vom Mahlwerk der Macht
aufgerieben werden,
wie all die Jahrhunderte zuvor.
Und dennoch sollte es ihn wieder geben!

Kurt F. Svatek

ÜBERLEBENSKÜNSTLERIN

Eingemauert
zwischen Dielen
führt die Feder
in Gedanken
ihre Zeilen
fort

Wissend
dass sie
schreibend nur
überleben kann

*

SEUFZERBRÜCKE

ich lache
ich weine

und seufze
dazwischen

Katrin Wehmeyer-Münzing

Halden von Schrott
weil alter Trott
der Schaden greift
die Fichte streift
die Nadeln ab

Schicht um Schicht
der Eisberg bricht
wer sich empört
der stört
das Wachstum

Das der Wirtschaft gilt
Sturzregen quillt
der Pegel steigt
die Erde neigt
sich ihrem Ende zu

Mit im Boot
sitzen
ich und du

Katrin Wehmeyer-Münzing

SCHIRMHERRIN MARIA*

Deinen Schirm halt fest
spende Schatten
wo von Eitelkeit geblendet
ich erblindet

Deinen Schirm halt fest
gegen Stürme der Empörung
die aus Wunden
der Entwertung

Deinen Schirm halt fest
für die Tränen
die vergossen
fühl ich mich vergessen

Deinen Schirm halt fest
und des Todes kalten Atem
noch ein Weilchen
von mir fern

Flehend mein Gebet
Zweifel aber wachsen
zwischen Zeilen
denn dein Arm
wirkt schwächlich
und dein Schirm zerbrechlich

Hauchdünn scheint
dein Schutzschild
über mir

* Maria mit dem Schirm – Deckengewölbe der Wallfahrtskirche Hergiswald (Schweiz)
Katrin Wehmeyer-Münzing

Am Horizont
eine Reihe alter buckliger Baumgreise
mit dünnen knochigen Armen
gegen alle Trostlosigkeit des Winters
immer noch Haltung bewahrend
graue Veteranenglieder
genügsam wissend
vom Himmel ab
geduldig in der Luft
hängend
verlassene verstaubte Spinnweben
Gardinen – zerschlissen zwar
doch fremden Blicken trotzend
den Einlass verwehrend
Hüter des hundertjährigen Schlafes
Traumfänger
die Unbewusstes festhalten
bis die Zeit reif
und der Boden bereit ist
zur Hingabe
an den singenden Frühling

Cordula Ruttmann

Hoch
hinaus
wollte ich
immer
schwingen
federleicht
im Himmel
fliegen
losgelöst
sein

Ich fand es
wundervoll
mit Liebe
angestoßen
zu werden
aber nur ganz
sanft
den Halt
wollte ich
nicht verlieren

Cordula Ruttmann

FÜR HILDE DOMIN

Ohne Worte entflohst du
in sprachlose Ferne –
und kehrtest heim
ins Wort, das nahm dich auf.

Und es erblühte dir
– und uns.
Dein schwesterliches Wort,
es wurde Manna
auf dem beschwerlich langen Weg
in das verlorene Land.

Gerhard P. Michael

Sieh nur, wie der Sinn im Wort
sich entfaltet zum Gebilde,
wie ein reines Wortgefilde
wird zum Seelenport.

Ob der Sinn im Worte thront?
Hat ein Sinn in Silben Bleibe?
Ach, ich hoffe, daß es lohnt,
wenn ich an das Wort mich halte
und es still und stolz verwalte,
der Bedeutung mich verschreibe,
da doch jeden Wortes Leibe
sein Geheimnis innewohnt.

Sei geduldig, denn der Sinn
wächst in seines Wesens Hülle,
bis des Wortes Sinnesfülle
allem Wesen wird Gewinn.

Gerhard P. Michael

Träume

Leg dich zu mir
Braut der Nacht
Schenk die Früchte mir
Die du dir ausgedacht
Lass sie reifen
In der Fülle
All die Wünsche
All die Gier
Leg dich zu mir
Bleib für einmal
Nur
Bei
Mir
Braut der Nacht

Elfi Thoma

JUNGE JAHRE

Die Welt wollten wir uns zeigen
Und das Leben besingen
Die Spitzen erklimmen
Deren Tiefen erfahren
Umwege waren nie bedacht
Die Sterne wollten wir zählen
In der lauen Sommernacht
Namen dafür erfinden
Sie in die Luft schreiben
Die Sonnenkugel wollten wir küssen
Die Regenbogenleiter besteigen
Das Leben wollten wir leben
Und
Uns das Spiel
Für immer
Bewahren

Elfi Thoma

KINDERKLAGE

Ihr sagtet uns:
„Später!
Ihr seid noch zu klein
um zu verstehen!"

Dann aber kam der Krieg,
die große Verwüstung.
Wir haben ihn
nicht verstanden
und
wir haben ihn
nicht überlebt.

Nur kleine Steine
setztet
ihr uns:
Grabsteine.
Seht, was von uns blieb!

Was habt ihr
aus unserem „später"
gemacht?
Wie schwer wiegt
euer Erinnern?
Was lerntet ihr
aus uns,
den Steinen,
die euch
geblieben sind?

Brigitte Schubert-Oustry

DES DIKTATORS BÜSTE

Auf einem Sockel stehend
in Granit gehauen
hochmütig und einsam
harrt er
der Vollendung.

Einst befahl er Millionen
schrieb Geschichte
voller Blut und Terror.

Jetzt nur
ist er Schemen
ausgeliefert
an Meißel und Feile
stumm
vor dem prüfenden Auge
seines Bildners
das
allein und unbefragt
ihm sein siegreiches Lächeln
von den Lippen
nimmt.

Brigitte Schubert-Oustry

Leid zieht in des Dichters Seelenkammer.
Ja! sagt er und trägt's auf schwachem Rücken,
Besingt im Lied der Welten Jammer,
Hoffend, seine Lieder könnten auch beglücken.

Seit des Dichters schwere Weisen klingen,
Sind sie Trost und Heilkraft, Öl hinieden:
Dichter, lass' uns Lieder mit dir singen!
Helle kommt, zurück strömt Freud und Frieden.

Alfons Bungert

NEUER HIMMEL, NEUE ERDE

Aus des Daseins Niederungen
Hab ich mich emporgeschwungen,
Strebte ungestört zum Firmament,
Das der Dichter Himmel nennt.

Kreiste hier in höchsten Räumen,
Sah den Himmel nur in Träumen.
Heimat sein will diese Ferne!
Starben da doch hellste Sterne.

Hälst du, was du träumst in Händen?
Bangst du nicht, es könnte viel sich wenden?
Heimat! Wird mir stetig nun das Unvertraute,
Das ich in tiefer Stille geistig schaute?

Lasst, ihr Mächte, mich nicht fallen!
Dorthin nicht, wo mir Sterbeglocken schallen –
Fort die Angst! Hilf, bitte, Gott, es werde
Heimat mir der neue Himmel – ja, dazu die neue Erde.

Alfons Bungert

FRAGEN

I

Schleicht sich nicht dort
einer an den Heimlichkeiten vorbei?

Wartet nicht schon der Verfall
aus Gestern und Heute?

Wer singt noch das Lied
der verlorenen Kinder?

Wo schlägt noch die Amsel an
und sucht sich die Freiheit der Flüge?

*

II

Wortlos bleiben ...?
Der Stimme den Hahn zudrehen ...?

Was gestern war,
heute leugnen ...?

Den Finger im Knopfloch rühren,
wo man die Arroganz nicht spürt ...?

Der Unschuld den Rücken zukehren ...?

Den Punkt in ein Komma verwandeln,
dass die M a c h t die Sätze zerdehnt ...?

Georg Ihmann

I

Dein Atem über dem Fluß
Sein Segel zieht durch salomonisches Weiß
Es trägt Saba auf Wolken
Auf Wolken und Händen
Zur Stunde der Nachtigall
Verwurzelt im innigsten Schlaf
Ihr Schrei und es erwachen die Rosen
Umschlungen von Dornen.

II

Die Liebe kommt leise
So zart
Nahezu still
Sie klopft unhörbar an die Türe
Sie tritt ein ohne daß sie dich und mich fragt.

Leise, nahezu still
Schmerzlich so zart
Kommt und geht die Liebe
Geht sie durch meine Haut
Verwildert sie mein Haar.

Leise, nahezu still
Ein Schmerz so zart
Durchdringt das Zarteste der Liebe
Durchdringt die letzte Nacht.

Sigrid Maria Groh

KICK

Den Schrecken kaufen,
den Kitzel ausufern,
die Lust konsumieren.

Das Perfekte im Absoluten,
die absolute Organisiertheit,
die verplante Endlichkeit,
die ständige Neuheit
des Supertollen, des Überdimensionalen.

Den Schrecken kaufen,
die Lust anwählen,
die Schrecken abbilden,
bis man daran erbricht.

Wir lassen uns entfremden
im Zerrbild der Bildschirme.
Wir sind eingesponnen im Netz unserer Zeit,
wir spinnen uns unsere eigene Wirklichkeit.
Wir sind gefangen
und wir sind »in«
und wir sind »online«
und wir sind außer uns,
terrorisiert von Bedürfnissen,
die wir eigentlich nicht haben,
in einer Welt, die eigentlich nicht existiert,
vergessen wir
wer wir sind,
wer wir waren
und was wir sein könnten.

Bettina Wurzel

Träume

glück
einer
nacht

verwischt
der
morgen

*

mein glück
hat einen
namen

*

meine liebe
ist bei dir
zu Haus

Brigitte Lück

seit
heute
weiß
ich
:
ich
kann
nie
mehr
nicht
an
dich
denken

*

aufbrechen
alles lassen
ohne aufenthalt
zu dir gehen
was hindert
mich
meine liebe

Brigitte Lück

Weit
windet sich
der Weg
in die Wolke,
steil und stark.

Kinder
möchten wissen,
wo er denn ende,
ob er genau zum Himmel führe.

Wenn das so einfach wäre!
Wolke, Weg und Himmel –
Kennen Kinder das Geheimnis?

Klaus Sempert

NACH AUSCHWITZ

Wir überwanden die Kälte der Logik,
Wir streuten Luftblumen, alles
Für fremde Scheinwerferlieben,
Nach Auschwitz sollte
Das Leben erträglicher sein.
Wann kommen endlich
Die nachdenklicheren Zeiten,
Fragten wir gestern.

*

GEGEN DIE GLEICHGÜLTIGKEIT

Fingerkuppen ertasten das Glück
Im bitterkalten Sommer,
Goldene Äpfel versprachen Reichtum
Und brachten nur Boshaftigkeit,
Unsere Kindheit ist nah
Wie der alltägliche Verrat,
Der Schrei einer Möwe berührt,
Solange wir aufbegehren
Gegen die Gleichgültigkeit.

Birgit Littmann

FAZITFRAGEN

mein gott
weder vater
noch weltgeist
  nur idee?

mein sein
weder schuld
noch gnade
  nur zufall?

mein haus
weder hort
noch heim
  nur asyl?

mein wort
weder lied
noch gesetz
  nur sprache?

mein nachlass
weder saat
noch ernte
  nur staub?

Heinrich Schröter ·

LIEBE

wir leben
um zu lieben

das leben
liebt
die liebe
die liebe
liebt
das leben

das leben lächelt
wenn man liebt

die liebe ist
das amen gottes
die liebe ist
das heil der welt

Heinrich Schröter

FRIST
Für Hans

Wir haben noch etwas Zeit.
Komm, laß uns Hand in Hand
Wege gehen
und sehen, wie das Getreide reift
im Schoß der Erde.

Wir haben noch etwas Zeit,
eine Spanne noch,
um dem Regenbogen nachzulaufen
von Horizont zu Horizont,
dazwischen grünen Felder.

Wir haben noch etwas Zeit
und zeitlos wird's,
wenn wir nicht zählen –
nur die Stunden des Glücks
bestimmt die Uhr.

Wir haben noch etwas Zeit,
schreibe du deine Symphonie,
besinge die Sternenstunden
und zähle mit deinem Herzschlag
den Takt der Ewigkeit.

Ila Ramdane

BESTIMMUNG
für Daiki

Kind, ich sah in deine Augen
und ich wußte,
du brachtest Sternenweisheit
mit zur Erde.

Kind, ich sah dein ernstes Lächeln
und ich wußte,
du brachtest Wissen
aus Urzeiten zu uns.

Kind, ich sehe die Schönheit deiner Seele,
die Liebe deines Herzen,
und ich weiß,
dass du die Erfüllung eines Versprechens bist.

Ila Ramdane

FRÜCHTE

Plötzlich
durch die Schwingungen
des Stundenschlags der Turmuhr
fallen Früchte
langsam tropfend in das Gras

Spricht die Dorfuhr
noch vom Zeitvergehen
liegt im Klang des Falls und Aufschlags
jeder Frucht
schon Ewigkeit

*

ECKEHART

Deshalb
weil wir die Zeit berühren
müssen wir sterben
so sagt Eckehart

Und darum
suchen wir zu fassen
und zu halten
was uns wie Zeit
in unsrer Hand zerrinnt

Erika Zeiß

Wörter
zu Grabe getragen
in dicken Folianten
der Bibliotheken

Plötzlich
das Wort vor mir
beginnt zu glänzen

Es öffnet sich
steigt aus der Gruft
bahnt sich eine Straße
strahlt wie ein Stern

Erika Zeiß

PROGNOSE

Mein Glück wiegt sechzig Pfund.
Ich küss' es auf den Mund.
Mein Glück soll glücklich sein.

Doch wird es immer schwerer.
Bald kommen die Verehrer
und jungen Glücksbegehrer.

Dann lässt es mich allein.

*

HEPATICA NOBILIS

Einen Himmel überquerte
ich an einem Märzenmorgen:
Blaue Sterne auf der Erde,

welke Blätter ihr Azur.
Sonst ganz leer die Waldnatur
bis auf eine grüne Spur Leben

auf den Borken.

Paul Gerhard Reitnauer

MEISTERHAFT

Der Frühling springt
über den Gartenzaun
lacht mich an
aus blauen Augen
krempelt die schneeweißen
Ärmel auf

und macht gleich
grüne Nägel mit Köpfen

*

BEGEGNUNG

Mein Ich geht fremd
sucht sich den Weg
aus der Sprachlosigkeit
betritt die Brücke
auf Zehenspitzen
tastet dein Wort ab
und dein Gesicht
und fühlt

leise Ankunft von Nähe

Monika Peters

NOVEMBER

Manchmal, an Novembertagen,
Wenn feiner Regen unaufhörlich
Auf die Erde niedersinkt,
Wenn kahle Bäume Trauer tragen,
Die in manche Herzen dringt –

Manchmal, an Novembertagen,
Wenn schwere Wolken undurchdringlich
Dem Lichte seinen Weg verwehren,
Wenn müde Vogelstimmen klagen
Kraftlos ohne Aufbegehren –

Manchmal, an Novembertagen,
Wenn der Wind bläst unerbittlich
Letzte Wärme aus den Wäldern,
Wenn feuchte Nebelfetzen jagen
Verlorne Halme auf den Feldern –

Manchesmal, an solchen Tagen,
Wird es innen warm und ruhig,
Wird es innen hell und weit.
Zu sich selber ja zu sagen
Ist manche Seele nun bereit.

Erika Lorenz

Kaum merklich fließt die Nacht,
Behäbig noch regierend
Den Strom der nimmermüden Zeit
Ihrem Ziel entgegen.

Und schneller wird das Strömen,
Und stärker zieht der Sog
Und treibt sie an, die alte Nacht,
Sie keucht in kurzen Zügen.

Erschöpft und schon verbleichend
Gelangt die Nacht ans Ziel,
Das Zepter sinkt aus matter Hand,
Der Morgen hat gesiegt.

Kaum merklich steigt der Tag,
Regiert mit Licht und Lärmen
Den Strom der nimmermüden Zeit
Und mündet in die Nacht.

Erika Lorenz

WIE EINE FEDER

Könnte ich doch
Schweben wie du
Getragen
Von meinem Atem
Streicheln wie du
Samtig-weich
Mit hauchfeinem Flaum
Leichtsein wie du
Verlieren
Den Sog der Schwere
Dasein wie du
Mühelos
In lichten Lüften
Könnte ich doch

Erika Lorenz

KLEIN SEIN KÖNNEN

nah der Erde
klein
gewurzelt
Kraft tanken und auswachsen
ins Licht
klein sein
und kindlich sein können
bitten
und annehmen
und danken
und
reich werden
und blühen.

*

SCHWARM DER WÖRTER

in meinen Netzstrümpfen gefangen
ich streife sie ab
leg die glänzenden Schuppen beiseite
ganz tief
taucht die wahre Haut auf
in meinem Wasser
stehen deine Küsse
grün.

Petra-Marlene Gölz

und die Kerzen gestummelt
und weiter der Abend
hinein in die Nacht tagt
als auch die letzten Freunde gegangen
mitten aus dem Gesicht geschnitten
das Lachen verstummt
als auch die alten Briefe gelesen
Zöpfe aus Zeit geflochten
beiseite gelegt
auf dem Kissen
zur ewigen Ruhe
gebettet

da taut der Stern

gewinnt an Bedeutung
all das
was kommt
im neuen Licht.

Petra-Marlene Gölz

Bilderflut
So viele Bilder ...
Tag für Tag
Sie rufen schreien gellen
Hinein in's Herz
Und auch der Kopf
Der bildet
Verbildet sich
Bei solcher Flut ...
Fiktiv und doch real
Die Bilder überall
Sie wirken weben
Heimlich in uns rein
Die Saat die ihnen passt ...
Ein Flimmern nur
Kein Tiefgesang
Sind diese Bilder noch
Vorbei die Zeit
Da manchmal noch
Ein einz'ges Bild

Ein Schatz ...

Gabriele Böhning

ROSA RAT

Ich zieh heut' meine
Rosarote Brille an
Und weiß es ist doch nur
Die halbe Wahrheit
Ich will ich brauch – heut' Rosarot
Und Kraft und Futter
Für das Grau
Die grauen Tage bleibehängt ...
Es kommt das Grau
Ich fühl's genau
Und deshalb trag ich heut'
Nur Rosarot nur Rosarot
Kein Schwarz kein Tod ...
Heut' lacht die Welt
Ist heil und wahr
Auf ihre Art ...
Sie sind so rar und wunderbar
Die rosarot Getönten
Die Tage mit der Brille
So zauberhaft und schön ...

Gabriele Böhning

VORWÄRTS

Dreh dich nicht um, denn du
verfolgst dich selbst.
Dreh dich nicht um,
erschrecken würdest du
und schreien: Sehen
würdest du,
wer du nicht mehr bist.

*

ABER TROTZDEM

Aber,
sagt der Zweifel,
und natürlich
hat er Recht.

Aber.

Trotzdem,
sagt die Hoffnung,
und ich spreche
es ihr nach.

Andreas Lehmann

MEHR UND MEHR

Ich leb und liebe
Lebendiges doch mehr und
mehr stirbts mir dahin

Mein Leben mehr und
mehr ist ein Erinnern
an Lebendiges das war

ist mehr und mehr
nur noch vergangnes Leben
das meins lebendig hält

*

ERINNERN

Hinter Brillen
träum ich mir buntere Bilder
Innenbilder

Schwerhörig
stimm ich alte Stimmen mir an
Stimmung von einst

Vergesslich werd ich
dass Unvergessliches
wieder erwacht

Ade Leid

Altern meint:
nun mehr im Innern leben
sich erinnern: Sich!

meint: zu Sich finden
nicht nur Welt erfinden
meint: erschaffen Sich

Ich meine Mich nun endlich
Welt nicht ringsum noch fern
Ich forsche im Erinnern
nach meinem Pilgerstern

Ade Leid

FREMD-SEIN

untergraben
deine wurzeln
ent-sorgt
davon
treibst du
aufgepfropft
dem leben
aus fremdem grund

*

WAS BLEIBT

WORT-FALLEN

zug um zug
vorbei
reise
zeit
dein haus
bewohnt
von niemand
mehr
als dir

fiel
ein wort
zwischen uns
blieb
bedeckt von
vielen

Bärbel Maiberger

Und ...

Wenn ich traurig bin
schreibe ich Gedichte

in welchen
ich mir vorstelle
und mir sage
wie glücklich ich bin

in welchen ich
von Schmetterlingen im Bauch
und von einer
glücklichen Zukunft erzähle

Und ...

wenn ich glücklich bin
schreibe ich nicht

Uwe Erwin Engelmann

VERÄNDERUNG

Heute
sind die Helden
    ausverkauft

Rücksichtsnahme
gibt es
    kaum

An der Ecke
gibt es 7 Möhren
    für eine Mark

Ein bisschen
Menschlichkeit
    gibt es

      woanders

*

BLICKWINKEL / WECHSELSPIEL

Es gibt ein Alter
da werden Frauen geliebt
weil sie schön sind

und

Es gibt ein Alter
da sind Frauen schön
weil sie geliebt werden

Uwe Erwin Engelmann

KALTE NACHT

Nebel schleicht
und hockt im Tal

Wie verfangen
gegen Osten
hängt im Baum
fast voller Mond
der uns sein Licht
für eine Weile schenkt
den Weg bescheint
den mühsam wir
am Waldrand gehen

Ein paar Schritte
zwischen Schatten noch
die mit uns wandern
dann breitet sich
die Weite aus
mit ihr die Helle
und rauh kommt auf
in diesem Herbst
die erste kalte Nacht

Carola Hügli

ZEIT

Es geht immer hindurch.
Durch dich
durch mich
durch uns

Sie nennen es Zeit.

Sie messen es,
sie teilen es,
sie geben
den Teilen
auch Namen.
Aber die Namen
erkennen uns nicht,
gehen immer hindurch.
Durch dich
durch mich
durch uns.

Sie nennen es Zeit.

*

In dieser Enge
probe ich immer
unendlich zu sein,
kreuze die Zeit
als wäre sie nichts,
falte den Raum
zu einem Punkt,
auf dem ich lande
mit dir.

Vera Gembicki

Goldener Knopf
an zerschlissenem Hemd
wir nähen ihn fester
nach jedem Krieg
mit schmerzenden Fäden
aus unserer Haut.

Wenn wir frierend
im Blutregen stehn
denken wir morgen
denken wir Hoffnung
denken wir Gold.

*

ERKENNTNIS

Auf der Spitze
meines Gedankens
sitzt ein Tropfen Erkenntnis.
Ich sehe ihn an,
Fragen im Blick.

Getroffen
fällt er hinab,
landet im Brunnen,
landet ganz lautlos,
landet mitten im Sein.

Vera Gembicki

An einem ungewissen Tag
Am Anfang des Sommers
In die Röhre gucken
Und niemandem dabei in die Augen sehen
Oder doch?

Ein Machtwort hören
Aus kurzer Distanz
Wie einen Donnerhall
Mit dunklen Vokalen

Die Augen geschlossen
Wie zum Gebet ans Himmelreich
Ein Wolkenflug
Im anderen Sinn
Mit anderem Charakter

An einem ungewissen Tag
Am Anfang des Sommers
Stellt einer energisch die Weichen
Und du hoffst
Dass deine Sterne günstig stehen

Barbara U. Schumann

Jetzt wird es wieder eng um dich,
es geht die Angst in deiner Brust umher
und Fragen liegen in der Seele schwer,
jetzt wird es enger, eng um dich.

Und wenn du etwas denkst, so sprich,
jetzt ist noch Zeit für manches tiefe Wort;
du bist an einem dir bekannten Ort,
wenn du noch sprechen willst, so sprich.

Und wenn dich Gott noch halten soll,
so glaub an ihn, falt deine müden Hände;
ein Wort reißt manchmal Türen auf und Wände,
wenn dich dein Gott noch halten soll.

Barbara U. Schumann

Früher fallen jetzt
Die Abendröte über uns ein
Und schwerer reißt sich
Das Kalenderblatt am frühen Morgen

Doch stößt noch immer
Jene Woge an den Himmel an
Die uns ins Leben treibt
In diese scheinbar schillernde Mitte
Wo unser beider Scherenschnitte
Vor dünneren Milchglasscheiben
Immer wieder sichtbar werden
Allmählich aber übergehn
Zu stillerem Leben

Barbara U. Schumann

KAHLSCHLAG

Grenzenlos beredt
lass' ich mich gehn
und Wörter sprudeln.

Um sie dann spät
rational zu sehn.
Sie trudeln.

Ich streich' dann rigoros.
Bis keines übrig bleibt.

Welch s c h ö n e s Los,
für den, der schreibt.

Jürgen Molzen

Es sind die leisen Töne, die ich liebe.
Ein sanftes Wort vielleicht. Ein Flüsterton.
Ein zartes »DU«, bei dem ich gerne bliebe,
und wenn ich gehen muß, dein »Schon?«

Es sind die leisen Töne, die ich liebe.
Und ein Gedicht, das ich kaum hörbar schriebe.
Es sind die leisen Töne, die ich liebe.

Das leise Ticken einer Pendeluhr.
Ein Wort nur »Bleib«, bei dem ich bei dir bliebe,
und auch dein Schweigen. – Doch das nicht nur.

Jürgen Molzen

Gedichte atmen.
Und manchmal
spür' ich
in einem Wort
den Puls
des Dichters,
der vielleicht
schon längst
begraben ist.
GEDICHTE ATMEN ...

Jürgen Molzen

Ein Stück Holz
wurde Musik,
und ein Stein
wurde Gedicht.
Was schwierig war,
wurde ganz einfach,
und die Stille
verdeckte den Lärm.
Das Rätselhafte
löste sich auf
als ich wusste:
Ich bin.

Helmut Gembicki

Meine Mutter ist mir vorausgegangen,
mein Bruder wartet
und meine Schwester steht an der Tür.
Die Hand fällt herab,
und der Fuß verweigert
dem Herzen den Takt.
Die kurzen Schatten des Tages
beginnen am Abend zu wachsen,
der Sommer endet,
der Atem wird kühler,
der Herbst erzählt mir vom Winter.
Vom Himmel herab stürzt das Wasser
und löscht das Feuer.
Der Wind treibt Schnee
über die Erde.
Lauter klingt nun der Fluss
im Gerippe des Waldes.
Der See erstarrt
mitten in der Bewegung,
und im Meer wandert der Fisch
nach Süden.

Helmut Gembicki

Frucht getragen
Grün abgeworfen
so stehe ich da
zerzauste
Alte
recke
mein Kahlgeäst
in die kurzen Tage
träume
des Nachts
vom Frühling
in mir

*

fortgetragen
vom Alleinsein
angespült
an das Ufer
der überall
lauernden
Fremde
umarme ich
mein
sehnsüchtiges
Kleinmädchen – Ich
schenke ihm
meine
mütterliche Liebe

Heidrun Schaller

meinen
stacheligen Nachen
im Sturm
und Regen
zu Wasser
gelassen
in der Hoffnung
dem Leben
zu trotzen
begreife ich
in meinen
späten Jahren,
daß Lächeln
die Wogen
glättet

*

aus unbarmherziger
Zeit
auf die Füße
gefallen
vertraue ich
meinen Körper
der Erde an
schreite
auf ihrem Rücken
in die Schönheit
meines zeitlosen
Alterns

Heidrun Schaller

Die Massenerzeugung des Verwechselbaren. Das Buch als Ware. Die Überlebenschance des ›besonderen‹ Buchs.

Die ›anerkannte Kunst‹: »Hier nehmen wir kein Bild, dessen Maler nicht mindestens fünfzig Jahre tot ist«, sagte der Aufseher der National Gallery in London. »Erst dann weiß man's.« »Die Bilder schubsen sich an den Wänden, was in den Keller gehört, kommt von selbst in den Keller und umgekehrt. Die Bilder erobern sich ihren Platz an der Wand.« (Die Stimme des großen Gelehrten, Bandaufnahme der Erinnerung, das schaltet sich ein, wenn man der Ermutigung bedarf.) »Ein Buch«, sagt Connolly (*Enemies of Promise*), »das heute zehn Jahre überlebt, hat durchgehalten, als habe es fünfzig Jahre hinter sich. Es ist geradezu schon ein Klassiker.«

Zehn Jahre? Fünf Jahre, häufig schon zwei Jahre oder auch zehn Monate töten heute ein Buch. Es *ver*braucht sich also sofort, wird nicht *ge*braucht: sein Warencharakter macht es abnutzbar. Es war, wie in der Tat das meiste, was heute gedruckt wird, für den Tageskonsum geschrieben. Um die Druckmaschinen und den Verteilerapparat in Gang zu halten, den Umsatz zu fördern. Die Maschine bestimmt den Rhythmus in der Industriegesellschaft. Rückblickend läßt sich sagen (was die Verleger meist auch schon vorher wissen), daß es keine ›Kunst‹ war, vermutlich von niemandem so gemeint. Das hat es immer gegeben. Nur nicht in diesem Maße. Und manche Bücher, die durchaus nicht Ware wären, ertrinken in dem Strudel, den das jährliche Untergehen vieler tausend Konsum-Bücher macht.

Aber mehr noch als die Quantität des Angebotenen ist es die Normung und Perfektion, in der es sich anbietet, die untadelige, ja verblüffend gekonnte ›Präsentation‹, die die Unterscheidung zwischen Kunst und Pseudo-Kunst erschwert[1].

Das ist schlimm für den Urteilenden. Schlimmer für den Autor. Nicht nur aus einer jährlichen Überflutung, sondern aus einer Überflutung mit Verwechselbarem muß er die eigene Stimme erheben: sich als einmalig, als ›unverwechselbar‹ zu erkennen geben, um eine Chance des Überlebens zu haben. Daß es gelingt, trotz allem, Jahr für Jahr, ist eine Art Wunder. Auf diese Art Wunder muß man vertrauen dürfen: auf die Kraft der Qualität, an uns zu appellieren. Und auf unsere Empfänglichkeit, trotz allem. Sonst würden Schreiben und Lesen sinnlos.

Wie wird also das Kunstwerk gerettet, wie ›kommt‹ es ›über‹ die dünne Linie, hinter der es *ge*braucht und nicht *ver*braucht wird? Hinter der es zunimmt[2], statt ›konsumiert‹ und weggeworfen zu werden[3]? Hinter der es also nicht nur auf die Probe gestellt wird, sondern selber auf die Probe stellt.

Es ›kommt‹ nicht ›über‹ diese Linie, denn in Wahrheit gibt es keine solche Linie. Auch sie ist eine optische Täuschung. Es wird nur, in einem bestimmten, schwer zu isolierenden Augenblick, etwas sichtbar, was von Anfang an dem Werk mitgegeben war, denn sonst wäre es ohnehin längst auf die Strecke geblieben. Dies Sichtbarwerden ist es, was ich die ›Linie‹ nannte. Wahrgenommen wird sie erst, nachdem sie überschritten ist. Von da an wird deutlich, daß dieses Werk sich mit den andern ›schubst‹ um seinen Platz. Jedes wirkliche Kunstwerk ist aber von Anbeginn an ein ›Probierstein‹ für sein Gegenüber, auch solange es selber noch radikal zur Debatte steht. Dabei ist das Kunstwerk jedoch weit gefährdeter als seine Richter. »Zwei Kritiker am gleichen Tisch im gleichen Augenblick können völlig verschiedene Meinungen über das gleiche Buch äußern ... und doch sind sich beide einig über Milton und Keats ... Was ist ihr Urteil über neue Bücher wert? Aus dem Schatz ihres Wissens bringen sie gräßliche Beispiele vergangener Irrtümer, Kritikmorde, welche, begangen an den Toten und nicht an den Lebenden, sie Stellung und Ruf gekostet hätten.« Der Kritikmord aber ist ein Mord, der nur selten gerächt wird, der Tote verschwindet unter der Erde wie das Opfer eines chirurgischen Mißgriffs; sang- und klanglos, nur die nächsten Angehörigen sind empört. Ausgegraben wird das Opfer gewöhnlich sehr viel später, falls überhaupt.

Wenn also das Lebendige umgebracht werden oder auch umkommen kann durch Unglück oder Schuld, der Mensch, das Werk, so kann doch das Nichtlebendige auf keine Weise lebendig gemacht werden: Qualität, wie immer man sie definiere (u. a. eine Relation zur ›Wirklichkeit‹), kann nicht nachträglich aufgepappt werden, wo sie nicht mitgeboren ist. Mit noch so viel Anstrengung nicht. Der Kritiker kann einem Werk das Leben sehr erleichtern, ihm zu früher Anerkennung verhelfen. Er kann das Untaugliche nicht tauglich machen, setze er sich guten Glaubens oder aus Gründen dafür ein. Was ›hochgespielt‹ wird, bleibt nicht oben, so sehr auch gepustet wird.

1 Dabei ist der hohe handwerkliche Standard eindeutig begrüßenswert: Er konfrontiert diejenigen, die etwas Eigenes beizutragen haben, mit gesteigerten technischen Anforderungen, und zwar im Weltmaßstab. Womit nicht behauptet werden soll, daß die großen Künstler heute etwa besonders groß wären. Aber das untere und wohl auch noch das mittlere Niveau liegen höher, der Amateurcharakter fehlt ganz.

2 Über das ›Zunehmen‹ des Kunstwerks durch den Gebrauch vgl. *Über das Interpretieren. Das Wachstum der Texte.*

3 ›Alte‹ neue Bücher (Belletristik) sind heute, im wortwörtlichen Sinne, nur noch wegwerfbar, kein Althändler bezahlt etwas dafür. Nur Sachbücher sind gefragt.

Das Essay von Hilde Domin stammt aus ihrem Buch »Wozu Lyrik heute«. © S. Fischer Verlag GmbH, Frankfurt am Main 1995. Mit freundlicher Genehmigung des Verlages.

Die Lebendigkeit des Ausdrucks verrät etwas von der Faszination, die Hilde Domin ausstrahlte: Wen immer sie ansah, für den war sie ganz da. Das ist auch das Geheimnis ihrer Lyrik: Jedes Wort war sie ganz sie selbst.

Zu den Bildern: Hilde Domin beim Signieren ihrer Bücher. Im Gespräch mit Teilnehmern. Eine Mädchenklasse überreicht ihr Blumen. Ein Kompliment mit Rose für Prof. Dr. Werner Ross, Präsident des Freien Deutschen Autorenverbandes und Literaturkritiker bei der FAZ (er referierte über »Kritik der Literaturkritik«). In der Pause lockere Unterhaltung über den Tagungsverlauf, von Horst Friedrich Vorwerk stets mit Bedacht geleitet. »Familienfoto« mit Verleger Theo Czernik und seiner Tochter Esther.

Fotos: Otti Lohss. Freudenstädter Lyriktage 1984.

Die einzige Biografie über die „Dichterin des Dennoch"

Mit diesem Buch wird die einzige von Hilde Domin autorisierte Biografie vorgelegt. Ilka Scheidgen kennt die Dichterin seit vielen Jahren und hat für das Buch zahlreiche Gespräche mit ihr geführt: über ihre Kindheit und Jugend, die Flucht vor den Nazis, ihre Jahre im Exil und die Rückkehr nach Deutschland.

Die Stationen ihres Lebens, ihre gemeinsamen Gespräche über Dichtung und Politik, über Leben und Tod verknüpft sie mit ausgewählten Gedichten Hilde Domins, die zeigen, wie eng Leben und Werk der Dichterin miteinander verbunden sind.

Ilka Scheidgen
■ **Hilde Domin**
Dichterin des Dennoch
Eine Biografie
248 Seiten, mit einem
Fotoanhang, gebunden
Format: 11 x 19,7 cm
ISBN 978-3-7806-3012-4

Die Autorin gibt viel von ihren Gesprächen preis, die die spätberufene Lyrikerin als lebhaften und warmherzigen Menschen zeigen. *Frankfurter Allgemeine Zeitung*

Kaufmann Verlag   www.kaufmann-verlag.de
Postfach 22 08 · 77912 Lahr   Telefax 0 78 21 / 93 90-11
Telefon   0 78 21 / 93 90-0   info@kaufmann-verlag.de

ANDERKA, JOHANNA; * 1933; lebt in Ulm; „Silbenhaus", „Zugeteilte Zeit", „Namen geben den Zeichen", Ed. L.; Lenau-Preis, Sudentend. Kulturpreis, Ehrengabe A. Gryphius-Preis, Inge Czernik-Förderpreis. Seite 17.

ANDERS, CHRISTEL; * 1944; wohnhaft in Altenwahlingen Kreis Soltau-Fallingbostel; Lehrerin. Veröffentlichungen in div. Anthologien. Seite 59.

ANDERS-ALICH; * 1968; Hary; Veröffentlichungen: „Lyrik für die Westentasche", „Heimkehr", „Das Gedicht 1997 und 2000", „Gestern ist nie vorbei", „Ich lebe aus meinem Herzen", Edition L. Seite 88.

BACHLER-RIX, MARGIT; lebt in St. Wolfgang/Salzkammergut; Journalistin; „Die Klingende Stadt", „Lyrische Liebeserklärung an den Wolfgangsee", u. a. Goldenes Verdienstzeichen der Republik Österreich. Goldenes Ehrenzeichen der Marktgemeinde St. Wolfgang. Ehrentitel Konsulentin u. a. Seite 79.

BLATTL, G. GABY; geboren und lebt in Wien; schreibt Gedichte und Kurzprosa, Roman in Arbeit. Einige Texte übersetzt und vertont. In vielen Anthologien und literarischen Zeitschriften vertreten; letzte Publikation „Phantasie einer Regennacht", edition Musagetes, Wien, 2006. Seite 57.

BLOCK, DETLEV, Prof. h.c.; * 1934 in Hannover; Theologe und Schriftsteller in Bad Pyrmont; Burgschreiber zu Plesse; Mitglied KOGGE, VS, GZL, VG Wort, VG Musikedition; über 80 Bücher, jüngst „Der Himmel hat viele Farben-Gedichte", Oldenburg 2006; diverse Auszeichnungen, zuletzt 1. Inge-Czernik-Preis 2006; Bio-/Bibliographie; Wolfgang Herbst (Hrsg.): „Komponisten und Liederdichter des Ev. Gesangbuchs", Vandenhoeck & Ruprecht, Göttingen 2. Aufl. 2001. Seite 20.

BÖHNING, GABRIELE; Hofheim/Ts.; Schriftstellerin; Fünf Bücher: Märchen, Erzählungen, Kurzgeschichten, Gedichte. Div. Auszeichnungen. Vertonung von Gedichten als Chorwerke. Seite 156.

BORDT-HAAKSHORST, MECHTHILD; lebt in Essen. Seite 14.

BRAUER, INGEBORG M.; geb. in Steyr, Ober-Österreich; lebt in Berlin; Veröffentlichungen von Erzählungen, Kurzprosa und Lyrik in verschiedenen Anthologien; Vertreten in „O du allerhöchste Zier", „Auszeit", „LYRIK HEUTE" und „Wir träumen uns", „Ich lebe aus meinem Herzen" im Czernik-Verlag/Edition L. Zahlreiche Lesungen. Seite 111.

BREUER, HOLGER; * 1961; lebt in Dortmund; Sozialpädagoge; Veröffentlichungen unter anderem in mehreren Anthologien der Edition L. Internetseite www.wortpuzzle.de. Seite 120.

BUNGERT, ALFONS; * 1929; lebt in Paderborn; Pfarrer i. R. und Schriftsteller; 14 eigene Bücher, drei lyrische Preise. Seite 134.

CONRADT, INGEBORG; * 1928; Mitarbeiterin in der Ev. Krankenhausbücherei im Krankenhaus Buchholz; Hörbuch-Rezensentin für den Ev. Buchberater, Mitglied der Autorinnengruppe „sage & schreibe", Buxtehude, Mitbegründerin des Literarischen Cafes in Buxtehude. Seite 45.

ELFENBEIN, HEIDE; * 1934; lebt in Cambs, England; veröffentlichte unter den Namen Heide Strauss-Asendorf oder Heide Elfenbein; 1985 Mein Huhn hat vier Beine, 1991 Umbrüche, 1991 Geh aus mein Herz und Schreie, 1996 Die Jammerhecke, 2006 Widerspruch; 1990 Preis beim Lyrischen Oktober, Edition L. Seite 118.

ENGELMANN, UWE ERWIN; * 1951 in Neusiedel (Rumänien); Oberstudienrat; wohnt in Siegen (NRW); „Und was ich dir noch sagen wollte", Gedichte 1993, „Aus meiner Schweigsamkeit breche ich aus", Gedichte 1997, „Dorfleben in Südosteuropa", zweisprachiger (dt/rum) Gedichtband 2001, „Zinnsoldat", Lyrik 2007. Seite 162.

FEITZINGER, JOHANNES VIKTOR, Dipl. Phys., Dr. rer. nat., Prof. für Astronomie, Bochum; * 1939 in Troppau; zahlreiche wissenschaftliche Veröffentlichungen, mehrere Fachbücher und populärwissenschaftliche Bücher, zahllose Feuilleton Beiträge in Tageszeitungen. Seite 34.

GABLER, RITA; * in Neustadt/Weinstraße; wohnt seit 1990 in Königsfeld im Schwarzwald; Lehrerin, Malerin; Lesungen im Kunstverband Königsfeld, Lyrik-Karten eigener Herstellung. Seite 70.

GEMBICKI, HELMUT; * in Berlin; lebt in Halstenbek bei Hamburg; Studium der Philosophie und Religionswissenschaft, Freier Autor, danach Rundfunkredakteur. Seite 173.

GEMBICKI, VERA; * in Berlin; lebt in Halstenbek bei Hamburg; die gelernte Bibliothekarin ist Lyrikerin und Malerin; 1994 erschien in der Edition L ihr Gedichtband „Lebenszeichen"; Inge Czernik-Förderpreis für Lyrik 2006. Seite 165.

GÖLZ, PETRA-MARLENE; * 1963 in Trier; lebt in Lorsch; freischaffende Künstlerin/Autorin; „Reizverschluss" 2001, „In Frieden lesen" 2002, „Haut auf roten Feigen", 2003, Lyrik zum Pfarrer-Weil-Preis, Lyrik im Nibelungenlieddenkmal/Worms, Poetry-on-the-Cover-Preisträgerin 2003. Lyrik, Kurzgeschichten und Grafik, www.lyrische-botenstoffe.de. Seite 154.

GRAF, FRANZ; * 1944 in Bad Reichenhall; lebt in München; Veröffentlichungen: „Hinter den Dingen" (1983), „Phönix-Geometrie der Liebe" (1995). Seite 68.

GROH, SIGRID MARIA; veröffentlichte aus ihrem „ausuferndem Tagebuch" Gedichte zu den Zeichnungen von Edward Lenaerts. 2004 erschien ihr englischsprachiges Poem „Black Iris" zu dem gleichnamigen Gemälde von Georgia O'Keeffe und der Musik des Inders Ustad Nischat Khan. Ihre Gedichte sind in zahlreichen Anthologien vertreten. Seite 137.

GÜNTHER, KARL-ADOLF, Professor Dr.; * 1950 in Frankfurt am Main; wohnt in der ländlichen Umgebung von Aschaffenburg; Rechtsanwalt, Notar und praktischer Psychologe, praktiziert in Hanau; Veröffentlichungen von Lyrikbeiträgen in zahlreichen Anthologien verschiedener Verlage seit 1990. Seite 106.

HEBEIN, ESTHER; * 1951 in Neumarkt/Steiermark; heute Malerin/Dichterin in Klagenfurt/Kärnten; Zahlreiche Ausstellungen, Lesungen und Lyrik-Veröffentlichungen in Anthologien deutscher Verlage. Preisträgerin „Christel Busta-Lyrikpreis 2006", ausgeschrieben vom Österreichischen Schriftstellerverband. Seite 116.

HERWEG, RITA; * 1952; Wuppertal; Germanistin, Freiberufliche Texterin, Lektorin und Dozentin; Veröffentlichung 2002 „Mörtel im Mund" Edition L, 2004 LiteraturBilder von A. Steffes, Anthologien, Lesungen. Seite 27.

HILBERT, RALF; * 1963 in Paderborn; lebt dort. Zahlreiche Veröffentlichungen in Anthologien und Zeitschriften. Seite 55.

HIPPEL-SCHÄFER v., GABRIELE, Dr. phil.; * 1927; lebt in Freiburg i. Br.; 6 Buchveröffentlichungen (Lyrik, Erzählungen); viele Beiträge in Zeitungen, Zeitschriften, Anthologien; Rudolf-Descher-Feder 2002. Seite 11.

HOLLAND, MARION; * 1960; lebt bei Freiburg; Bibliothekarin; Gedichtband „Dich wiederfinden", Edition L. (Texte selbst vertont, CD), zahlreiche Lesungen. Seite 47.

HÜGLI, CAROLA; * 1937; wohnt in Rödermark/Hess.; schreibt Gedichte und Prosa; Veröffentlichungen, Gedichtbände: Herzlichst, Blattgeflüster, Am Sonnenstreif; eine Parabel: Der kleine Mistel; außerdem Anthologiebeteiligungen in versch. Verlagen. Seite 164.

IBLER, GEORG; * 1940; lebt in Augsburg. Seite 108.

IHMANN, GEORG; * 1927; Traunreut/Obb.; Autor; Hörspiele und Funkerzählungen, Lyrik, Satiren; viele Veröffentlichungen. Kulturpreis der Stadt Traunreut, u. a. Auszeichnungen. Seite 136.

KAISER, URSULA; * 1953; lebt in Jena; Gymnasiallehrerin; Unterrichtet „Kreatives Schreiben" an Volkshochschulen. Seite 35.

KAWOHL, MARIANNE; * 1945; lebt in Freiburg i. Br.; Dipl.-Päd., Klinische Pädagogin BDDP, Psychologin, Schriftstellerin; über 20 Buchveröffentlichungen (Übersetzungen auch ins Finnische, Holländische und in die Blindenschrift); Beiträge u. a. in Rundfunk und Fernsehen; erhielt 2001 die Verdienstmedaille des Landes Baden-Württemberg. Seite 74.

KOCH, REINHARD; * 1962; lebt in Schmitten i. Ts.; Dipl.-Ing. der Nachrichtentechnik, Künstler. Veröffentlichungen in einigen Anthologien; zweiter Platz beim Autorenwettbewerb „Sinnfinden" der Basler-Psi-Tage 2005. Seite 89.

KRAUSE, GUNHILD; * 1971 in Hagen (NRW); wohnt in Wetter a. d. Ruhr; Verwaltungsangestellte in der Weiterbildung; Schreibt Lyrik: Gedichte, Aphorismen und Kurzgeschichten. Seite 71.

KÜHN, HERBERT; lebt in der Wahlheimat Donaueschingen-Hubertshofen; in zahlreichen Anthologien, bes. in der Edition L und in Jahrbüchern u. literarischen Zeitschriften vertreten. Seite 86.

LEID, ADE; * 1926 in Düsseldorf; arbeitet als Psychotherapeutin in einem Dorf an der Ruhr; Der Zyklus „Altern" ist enthalten in dem Privatdruck meiner Düsseldorfer Erinnerungen 1926–30 (2006). Seite 159.

LEHMANN, ANDREAS; * 1974; lebt in Mainz; Veröffentlichungen von Erzählungen und Gedichten. Seite 158.

LITTMANN, BIRGIT; lebt und arbeitet in Göttingen; Mitglied der „Gesellschaft für zeitgenössische Lyrik"; Veröffentlichungen in Anthologien. Seite 142.

LORENZ, ERIKA; lebt in Friedrichsdorf/Taunus; Autorin und Malerin; Erzählbände: „Ein Recht auf Seele", „Im Dutzend", 1991, „Geschichten und Gedichte aus Friedrichsdorf", 2005. Seite 151.

LÜCK, BRIGITTE; * 1930; lebt in Nentershausen/Hessen; Puppenspielerin/Puppenspielautorin. Seite 139.

MACDONALD, ERIKA; wohnt in Bad Pyrmont; Lehrerin und Dolmetscherin; lebte und unterrichtete 20 Jahre in Australien; Veröffentlichungen in Zeitschriften und Zeitungen; Gedichtband „Lebenszeilen". Seite 114.

MAIBERGER, BÄRBEL; * 1954; lebt in Bietigheim-Biss.; erteilt Sprachunterricht und schreibt Lyrik und Prosa; Veröffentlichungen in Anthologien sowie in Literaturzeitschriften. Homepage: www.baerbel-maiberger.de. Seite 161.

MARTIN, GUDRUN; * 1946 in St. Georgen/Schwarzwald; lebt in Wiesloch; ehem. Sekretärin; Gedichte in Zeitungen, im Rundfunk „Sonntagskonzert" u. Anthologien der Edition L „Das Gedicht 2006" und „Liebe denkt in süßen Tönen". Seite 113.

MARKUS, GABRIELE; * 1939; Freie Schriftstellerin und Gesangspädagogin in Zürich; Lyrik und Kurzprosa in zahlreichen Anthologien, mehrere Gedichtbände, zuletzt „Ohr am Boden" 1997. „Anderswo, jetzt", Audio-CD 2000; Einige Gedichtzyklen wurden vertont. Diverse Auszeichnungen, u. a. 1989 Ehrengabe und 1997 Werkhalbjahr der Stadt Zürich. Seite 25.

MATSCHOSS, JOACHIM; lebt in Melbourne/Australien; Lyrik-Bücher in Deutsch und Englisch. Autor von mehr als zwanzig Theaterstücken, die in Australien, Deutschland, Canada, England und in den USA aufgeführt wurden. Seite 51.

MATTMÜLLER-FUCHS, SIGRID; Rangendingen; Veröffentlichungen in Zeitungen und Anthologien. Seite 67.

MERLAU, HANS GÜNTHER, Dr. phil.; * 1934; Freiburg i. Br.; „Zeichensetzung. Gedichte (1958–2005)", „Chiaroscuro. Gesammelte Prosa" (2006). Seite 37.

MEURER, PETER; * 1923 in Berlin; lebt in Hofheim/Ts.; Im Kriege Sanitätsdienst. Volontär in der Berliner Schriftleitung des Hermann-Meister-Verlages, Heidelberg. Fachbuchhändler der Medizin. Leiter der med. Fachbibliothek (Zentralbibliothek) der Städt. Kliniken in Frankfurt-Höchst. Seite 110.

MICHAEL, GERHARD P.; * 1935; lebt in Krefeld; Verlagsleiter, Kirchenchorleiter, Herausgeber geistlicher Chormusik; Gedichtbände: Blühende Scherben, Nachtgedanken, Nur ein paar Worte. Seite 128.

MOLZEN, JÜRGEN; * 1943 Berlin-Wedding; Schlosser, Kriminaloberkommissar a. D.; Buch: „Geständnisse & Irrtümer – Von der ersten Mode bis zur ‚Zeitfrage' – Aphorismen & Gedichte". Seite 170.

PAPE, MARGARETHE; * in Berlin; Opernsängerin, bild. Künstlerin, Autorin zahlreicher Buchveröffentlichungen und Publikationen. Öffentlichkeitsbeauftragte von Radio Vatikan für Berlin; Arbeiten u. a.: „Lichter Morgen", „Lichtzeichen", „Ermüdete Zeit", „Lost in the Sky", „Portale", „Identity Card". Seite 105.

PETERS, MONIKA; * 1942; Wohnort Rheinbach; Zahlreiche Veröffentlichungen in Zeitungen, Zeitschriften, Kalendern und Anthologien, Gedichtband „Ich brauche die Nähe von Weite"; Literaturpreis des Freien Deutschen Autorenverbandes. Seite 150.

PIXNER, BRIGITTE; Wien; Jus-Abschluß; 9 Bücher (u. a. „Spitzbergen rückt näher", Ed. L) 2 Preise, Vertonungen (A. Blechinger, Wien) CD; Mitarb. in Zeitungen, Zeitschr., Anthol. (u. a. Suhrkamp, Heyne, Rowohlt); 1987 Red. von Bakschisch (Lit. Zeitschrift). Seite 83.

PLAß, REGINE; * 1958 in Hagen i. W.; lebt in Breitau/Nordhessen; arbeitet als Lehrerin mit interkulturellen Lerngruppen und in der Lehrerfortbildung. Beratungslehrerin für Suchtprävention. Seite 65.

RAMDANE, ILA; * 1944 in Russland; lebt in Hilversum; Pianistin, Malerin und Vortragskünstlerin. Zahlreiche Veröffentlichungen in Anthologien, Zeitungen und Zeitschriften. Ausstellungen. Auszeichnungen: Amicus Poloniae, Silberne Goethenadel und Goldene Libelle Nadel. Seite 145.

RASMUSSEN-BONNE, BÄRBEL-WIEBKE; * 1942; wohnhaft in Bonn; Grundschullehrerin bis 1994, Kursleiterin für Kreatives Schreiben, Veröffentlichungen von Lyrik in Anthologien. Seite 85.

REITNAUER, PAUL GERHARD, Dr.; Dresden; Ged.-Prosa-Bd. 1961, in DDR konfisz., Wiederaufl. 1991, Freidhof/Frankf. „Mein verbotenes Buch", Publik. in Anthologien, Lesebüchern, Periodika. Seite 149.

RICHTER, BRIGITTE; * 1945; Mannheim; Apothekerin; Gedichte in mehreren Anthologien des Czernik-Verlags, Edition L. Seite 91.

RÜCKEL, KLAUS GÜNTHER; * 1938; lebt in Frankfurt/M.; war u. a. als Journalist tätig, schreibt Lyrik und Prosa, Veröffentlichungen: „Membranenseligkeit", Gedichte 1968. Seite 53.

RUMPF, MICHAEL; Grünstadt; Mitherausgeber der Zeitschrift ZENO; letzte Veröffentlichungen: Ouerlinien (Aphorismen 2004); Ausgelöst (Gedichte 2006). Auszeichnungen: 1. Preis beim Aphoristiker-Wettbewerb Hattingen 2005. Seite 61.

RUTTMANN, CORDULA; * 1953 in Dortmund; lebt in Ketsch im Rhein-Neckar-Kreis; veröffentlichte 2005 ihr erstes Buch mit deutschen und englischen Gedichten. Seite 126.

SAUL, HORST, Doktor der Medizin; * in Hennef/Sieg; seit 1966 in Bad-Neuenahr-Ahrweiler als Facharzt tätig. Sieben eigene Buchveröffentlichungen (Lyrik, Kurzprosa, Essays), 1 CD mit vertonten Liedtexten, 2004 eine Retrospektive in Deutsch und Rumänisch „In die Fänge der hungrigen See". Zuletzt 2005 „Als sei ein Anderes da", Gedichte. Mitautor in vielen Anthologien u. a. im Inselverlag, Edition L, Deutsch-Rumänische Anthologie „Bitteres Wasser – blaues Lied". Mitherausgeber der Zeitschrift „Dichtungsring". Mitglied der Akademie der Wissenschaften, Literatur und Künste in Oradea. Lyrikpreisträger von Convorbiri Literare 2005. Seite 48.

SELBERG, GERDA; lebt in Homburg. Seite 109.

SEMPERT, KLAUS; * 1938; bis zu seiner Pensionierung Konrektor an einer Grundschule; wohnt in Rotenburg a. d. F.; Veröffentlichungen in verschiedenen Anthologien. Seite 109.

SVATEK KURT F., * 1949; lebt südlich von Wien; Schulrat, Autor, Übersetzer und Hon. Prof. für Literatur; veröffentlichte bisher 39 Bücher; Übersetzungen erfolgten in allen Weltsprachen; 92 Preise und Auszeichnungen. Seite 121.

SCHALLER, HEIDRUN; lebt in Hamburg. Seite 175.

SCHILL, CLAUDIA BEATE; * 1952; lebt in Ostfildern bei Stuttgart; Studium der Fremdsprachen und Journalistenausbildung, arbeitet als freie Schriftstellerin und Journalistin. BV.: „Revolution in Zeilen", 1978, „Deutschland-ein-Eisalptraum", 1981, „Engel der Elegie", 1984, „... macht Macht machtlos ...", 1986, „vom Engel geführt", 2001, „Spinnen die Parzen", 2004. Seite 63.

SCHMAUS, ANNA; * 1943 in Markt Eisenstein (Tschechien); wohnhaft in Regen (Bayr. Wald). Seite 94.

SCHMID ba, ELISABETH; * 1953; Sie lebt und arbeitet in München und auf Mallorca; studierte Pädagogik und Soziologie; Ihre Veröffentlichungen wurden mit mehreren Preisen ausgezeichnet. Seite 87.

SCHMUCKER, MARGARETHA; * 1961; wohnt in Ditzingen; Bankkauffrau; Veröffentlichungen in der Exempla Literaturzeitschrift. Seite 23.

SCHNEIDER-LICHTER, GUDRUN; * 1937; wohnhaft in Bruchsal; Lyrik in Anthologien der Edition L; Nationalbibliothek des deutschsprachigen Gedichts, München, Wort und Mensch-Verlag Köln, sowie aktuell-verlag, Bad Herrenalb (Zeitschriften, Karten, Kalender, Almanach). Seite 81.

SCHNURR, KURT; * 1928; Mannheim; Mitglied im VS-Baden Württemberg und der Europäischen Autorenvereinigung „Die Kogge"; Zahlreiche Veröffentlichungen in Anthologien, Zeitungen, Zeitschriften und im Rundfunk; 1. Preis bei Erzählwettbewerb der Stadt Mannheim 1983. 2. Preisträger beim Inge-Czernik Förderpreis für Lyrik 2006. Seite 31.

SCHRÖTER, HEINRICH; * 1917 in Westpreußen; Von 1938 bis 1945 Soldat, von 1948 bis 1979 Journalist, seit 1980 freier Autor in Wiesbaden; Veröffentlichte 17 Bände Lyrik und Kurzprosa, bei mehreren Autorenwettbewerben erfolgreich. Seite 143.

SCHUBERT-OUSTRY, BRIGITTE; * in Dresden; seit 1965 in Paris ansässig; Auslandskorrespondentin für Rundfunk und Presse und Autorin (Hörspiele, Novellen, Märchen, Lyrik), seit 2004 Publikationen in Deutschland (Lyrik/Prosa). Seite 132.

SCHUMANN, BARBARA U.; * 1948 in Alfeld; Ausbildung zur Röntgen-Assistentin an der Med. Hochschule Hannover, Gaststudium in Erziehungswissenschaft; Sieben Lyrikbände. Zuletzt „Treppe zum Strand" und „Herbstleuchten". Veröffentlichungen in zahlreichen Anthologien und Literaturzeitungen. Seit 1999 Mitarbeiterin bei „Decision", Zeitschrift für deutsche u. französische Literatur. Mitglied der Hamburger Autorenvereinigung und des Züricher Schriftstellerverbands. Seite 167.

STAAB, RICHARD; * 1953 in München; lebt in Bremen; Studium der Politischen Wissenschaften, Neueren Deutschen Literatur und Neueren Geschichte. Neben Veröffentlichungen in Anthologien erschien 2004: „Perfekte Welt – Lyrik: prosaisch", Isensee Verlag, Oldenburg. Seite 38.

STEHLI-CHRISTALLER, KATJA; * 1925 in Berlin; lebt in Stuttgart; studierte in Bonn Germanistik und Anglistik; Gedichte in vielen Anthologien, Stuttgarter GEDOK-Preis 1983. Seite 40.

STÖVER, KRIMHILD; wohnhaft in Hude/Oldenburg; Buchveröffentlichungen über vergessene Künstler der Region, 1999–2005 Landesvorsitzende der Freien Deutschen Autoren. Seite 103.

THOMA, ELFI; * 1944; lebt und arbeitet in Basel, Schweiz; aufgew. in der Steiermark, Österreich; Kauffrau; Mitglied: Femscript Schweiz, Verein neue Opernprojekte Basel. Seite 130.

TRAUT, BENEDIKT WERNER; * 1934 in Köln; lebt in Gundelfingen/Breisgau; Bildender Künstler, Schriftsteller; seit 1957 in der Christusbruderschaft Selbitz/Hof a. d. Saale; Evang. Orden: Einzelausstellungen im In- und Ausland; Autor zahlreicher Meditations- und Bildbände sowie mehrerer Essays zum Thema „Wege zur Kunst – Wege zum Leben", „Verweilen im Sein", Gedichte und Essays, Edition L, 2. Auflage: Vorträge und Lesungen über Deutschland hinaus. Seite 72.

VORWERK, HORST FRIEDRICH; * 1933 † 1997; Prosa über die Themen „Menschen, Geschichte, Brauchtum, Landschaft, Reisen" in Journalen, Zeitungen und Büchern; Lyrik, eigene Bücher zu den oben angeführten Themen; Sachbücher und Ghostwriting. Zeitungs-, Rundfunk- und Fernseharbeit. Gedichtband „obdachlos" Edition L. Seite 43.

WEHMEYER-MÜNZING, KATRIN, Dr. med., Psychotherapie/Psychoanalyse; * 1945 in Garmisch-Partenkirchen; seit 1976 in Hamburg; 4 eigene Lyrikbände, 2000, 2001, 2003, 2006; Literarische Zusammenstellung der Anthologie: „Elbleuchten – Literarische Fundstücke von Hamburg Altona bis Blankenese" Herausgeber: Verein 700 Jahre Nienstedten e. V., 2005; Veröffentlichungen in Anthologien und Zeitschriften. Kunstpreis Bad Zwischenahn „Das Goldene Segel" 2006 „Poesie im Wind". Seite 123.

WENDLAND, PAUL HEINRICH; * 1936 in Plock a. d. Weichsel; lebt in Schongau, Oberbayern; war Krankenpfleger, Diakon und Heimleiter; schreibt Lyrik und Prosa; 3 Einzelbände; Veröffentlichungen in mehreren Anthologien und Zeitschriften. Seite 95.

WIECHERT, WOLF; lebt in Wertheim am Main; „Das Treffen im Schloss", zuletzt „Eine Liebe in Kaliningrad"; Kulturpreis der Stadt Wertheim, Baden-Württembergischer Lyrikpreis. Seite 29.

WILMS, GÜNTER; lebt in La Palma; Künstler; Veröffentlichungen „Das Gedicht" 2006, „Liebe denkt in süßen Tönen", 2006, Edition L. Seite 92.

WURZEL, BETTINA, MONIKA; * 1968; lebt im Mistelbach; Diplom Sozialpädagogin, Musiktherapeutin; Zahlreiche Veröffentlichungen, Dichterlesungen, Literaturworkshops in Schulen; 1988 Preis der RSGI, Regensburger Schriftstellergruppe International. Seite 137.

ZEIß, ERIKA; lebt in München. Seite 147.

ZICKMANN, CHRISTINE; * 1935 in Stettin; lebt in der Lüneb. Heide; bis 1987 Kauffrau in Hamburg; Satire, Lyrik, Erzähl- und Kindergedichte, Kurzgeschichten in Anthologien, zwei Gedichtbände; Mitherausgeberin von zwei Zeitzeugenanthologien. Seite 77.

Aber trotzdem   *Andreas Lehmann* 158
Abschied   *Reinhard Koch* 89
Ahasver   *Horst Friedrich Vorwerk* 43
Akzeptiert   *Holger Breuer* 120
Allein im Wald   *Erika Macdonald* 114
Alles auf Anfang   *Regine Plaß* 65
Als auch die letzten Fenster dunkel   *Petra-Marlene Gölz* 155
Als die Kartoffeln ... (1946)   *Christine Zickmann* 78
Altern   *Ade Leid* 160
am saum der allee   *Margaretha Schmucker* 24
Am Vorabend zu singen   *Margarethe Pape* 105
Anbruch   *Michael Rumpf* 62
An meinen Vater   *Barbara U. Schumann* 168
Aphrodite   *Ingeborg M. Brauer* 112
Armer Tag   *Erika Macdonald* 115
Ausbruch   *Holger Breuer* 120
Aus unbarmherziger Zeit   *Heidrun Schaller* 176
Australien   *Joachim Matschoss* 51
Azalee   *Brigitte Pixner* 83
Baum des Lebens   *Gudrun Schneider-Lichter* 82
Begegnung   *Monika Peters* 150
Bestimmung   *Ila Ramdane* 146
Bin Welt doch selbst   *Reinhard Koch* 90
Blickwinkel   *Uwe Erwin Engelmann* 163
Blütezeit   *Marion Holland* 47
Computertomogramm   *Barbara U. Schumann* 167
Crescendo   *Esther Hebein* 116
Dank an Hilde Domin   *Gabriele Markus* 25
Das Brandmal   *Horst Saul* 49
Dein Atem   *Sigrid Maria Groh* 137
Denn alles Leben ist Sprache   *Kurt F. Svatek* 121
Der Abschied   *Katja Stehli-Christaller* 41
Der Ton macht die Musik   *Claudia Beate Schill* 63
Des Diktators Büste   *Brigitte Schubert-Oustry* 133
Des Sängers Leiden   *Alfons Bungert* 134
Dichten   *Brigitte Richter* 91
Die Frau   *Katja Stehli-Christaller* 42
Die Kirchen   *Joachim Matschoss* 52
Die Reise beginnt   *Karl-Adolf Günther* 100
Die Wand ist weg   *Marianne Kawohl* 76
Ebbe   *Ingeborg Conradt* 46

Eckehart   *Erika Zeiß* 147
Einfach   *Helmut Gembicki* 173
Ein Gedicht   *Paul H. Wendland* 95
Elemente   *Rita Herweg* 28
elohim   *Margaretha Schmucker* 23
Entmachtung   *Holger Breuer* 120
Enzyklopädie   *Elisabeth ba Schmid* 87
Erlösung   *Horst Friedrich Vorwerk* 44
Erinnern   *Ade Leid* 159
Erinnerungen   *Tatjana Anders-Alich* 88
Erkenntnis   *Vera Gembicki* 166
Erntehelfer   *Kurt Schnurr* 32
Es ist das Meer   *Esther Hebein* 117
Es sind die leisen Töne   *Jürgen Molzen* 171
Es war nie anders   *Kurt F. Svatek* 122
Ewige Wiederkehr   *Günter Wilms* 93
Fakt   *Wolf Wichert* 30
Fazitfragen   *Heinrich Schröter* 143
Ferien   *Regine Plaß* 66
Fernsehen   *Bärbel-W. Rasmussen-Bonne* 85
Fortgetragen   *Heidrun Schaller* 175
Fragen   *Georg Ihmann* 136
Freiflug   *Marion Holland* 47
Fremd-sein   *Bärbel Maiberger* 161
Fremd und vertraut   *Johanna Anderka* 17
Frist   *Ila Ramdane* 145
Früchte   *Erika Zeiß* 147
Frucht getragen   *Heidrun Schaller* 175
Frühling   *Horst Saul* 48
Für Hilde Domin   *Gerhard P. Michael* 128
Geborgen   *Christel Anders* 59
Gedichte   *Brigitte Richter* 91
Gedichte atmen   *Jürgen Molzen* 172
Gegen die Gleichgültigkeit   *Birgit Littmann* 142
Gehen   *Benedikt Werner Traut* 72
Gehetzt   *Horst Friedrich Vorwerk* 44
Genug   *Johannes Feitzinger* 34
Goldener Knopf   *Vera Gembicki* 166
Heimkehr   *Margit Bachler-Rix* 80
Heimwärts   *Wolf Wichert* 30
Hepatica nobilis   *Paul Gerhard Reitnauer* 149
Herbstblicke   *Klaus G. Rückel* 53
Herzklänge   *Anna Schmaus* 94
Herzwinkel   *Anna Schmaus* 94
Hingabe   *Kurt Schnurr* 31

194

Ich & Du   *Gunhild Krause* 71
Im einstigen Unbehaustsein   *Marianne Kawohl* 75
Immer wieder: Orpheus   *Katja Stehli-Christaller* 40
Im Olivenbaum   *Gaby G. Blattl* 57
Im Spiegelbild   *Tatjana Anders-Alich* 88
Im Winternebel   *Cordula Rutmann* 126
Im Zeitrausch   *Bärbel W. Rasmussen-Bonne* 85
In dieser Enge   *Vera Gembicki* 165
Innehalten   *Richard Staab* 38
Innerer Keim   *Günter Wilms* 92
In Gottes Hand   *Marion Holland* 47
Inschrift   *Hans Günther Merlau* 37
Irgendwann   *Gaby G. Blattl* 58
Irgendwo   *Gudrun Martin* 113
Junge Jahre   *Elfi Thoma* 131
Jahreszählung   *Johannes Feitzinger* 34
Kahlschlag   *Jürgen Molzen* 170
Kalte Nacht   *Carola Hügli* 164
Karma   *Heide Elfenbein* 118
Kick   *Bettina Wurzel* 138
Kinderklage   *Brigitte Schubert-Oustry* 132
Klein sein können   *Petra-Marlene Gölz* 154
Langer Atem Angst   *Johanna Anderka* 19
Land's End   *Gabriele von Hippel-Schäfer* 13
Lebenslauf   *Gabriele Markus* 26
Leicht zum Loslassen   *Detlev Block* 21
Liebe   *Heinrich Schröter* 144
luftspiele   *Margaretha Schmucker* 24
Mai   *Ursula Kaiser* 36
Mehr und mehr   *Ade Leid* 159
Meine Kinderschaukel   *Cordula Rutmann* 127
Meinen stacheligen Nachen   *Heidrun Schaller* 176
Meisterhaft   *Monika Peters* 150
Mit dir   *Richard Staab* 38
Modefern   *Gabriele von Hippel-Schäfer* 12
Nach Auschwitz   *Birgit Littmann* 142
Nach Hause   *Krimhild Stöver* 104
Nach Jahren   *Gudrun Schneider-Lichter* 81
Nachklang   *Klaus G. Rückel* 54
Nachlese   *Johanna Anderka* 18
Nacht und Tag   *Erika Lorenz* 152
Neigung   *Helmut Gembicki* 174
Nein danke   *Christel Anderka* 60
Neuer Himmel, neue Erde   *Alfons Bungert* 135
Neujahr   *Bärbel-W. Rasmussen-Bonne* 85

November   *Erika Lorenz* 151
Novemberblues   *Ursula Kaiser* 35
Noch   *Richard Staab* 39
Observanz   *Horst Saul* 50
Orpheus   *Franz Graf* 68
Palimpsest   *Ralf Hilbert* 56
Poesie   *Gerhard P. Michael* 129
Prognose   *Paul Gerhard Reitnauer* 149
Rastlos   *Ingeborg M. Brauer* 111
Realität   *Brigitte Pixner* 84
Rehbergtunnel   *Ralf Hilbert* 55
Reichenau   *Herbert Kühn* 86
Rosa Rat   *Gabriele Böhning* 157
Rückfrage   *Hans Günther Merlau* 37
Ruhelos   *Horst Friedrich Vorwerk* 43
Sehnsucht   *Margit Bachler-Rix* 79
Seit heute   *Brigitte Lück* 140
Seufzerbrücke   *Katrin Wehmeyer-Münzing* 123
Soldaten, die sind Freunde   *Peter Meurer* 110
Sonnenaufgang am See   *Mechthild Bordt-Haakshorst* 14
Späte Zeit   *Barbara U. Schumann* 169
Spanisches Deja-vu-Erlebnis   *Paul H. Wendland* 96
Spinnen die Parzen   *Claudia Beate Schill* 64
Sprachkultur   *Gerd Ibler* 108
Suche nach dem Wort   *Gabriele von Hippel-Schäfer* 12
Schnee   *Michael Rumpf* 61
Schirmherrin Maria   *Katrin Wehmeyer-Münzing* 125
Schöpfung – erschöpft   *Katrin Wehmeyer-Münzing* 124
Schwarm der Wörter   *Petra-Marlene Gölz* 154
Staunen   *Benedikt Werner Traut* 73
Sternenglanz   *Karl-Adolf Günther* 107
Tatsache des Verlustes   *Mechthild Bordt-Haakshorst* 15
Tiefschlaf   *Heide Elfenbein* 119
Titan   *Franz Graf* 69
Tränen tragen ...   *Marianne Kawohl* 74
Träume   *Brigitte Lück* 139
Träume   *Elfi Thoma* 130
Traumflügel   *Sigrid Fuchs-Mattmüller* 67
Über aller Zeit   *Krimhild Stöver* 103
Überlebenskünstlerin   *Katrin Wehmeyer-Münzing* 123
Überflutung   *Gabriele Böhning* 156
und ...   *Uwe Erwin Engelmann* 162
Unser täglich Brot   *Christine Zickmann* 77
Urlaub   *Mechthild Bordt-Haakshorst* 16
Vergangenheit ...   *Marianne Kawohl* 74

196

Veränderung   *Uwe Erwin Engelmann* 163
Viel vorgenommen   *Ingeborg Conradt* 45
Vom ewigen Leben   *Rita Herweg* 27
Von der Farbe zur Form   *Gunhild Krause* 71
Von der Schöpfung leben   *Detlev Block* 22
Vorankündigung   *Hans Günther Merlau* 37
Vorwärts   *Andreas Lehmann* 158
Was bleibt   *Bärbel Maiberger* 161
Wege zur Stille   *Kurt Schnurr* 32
Weißes Blatt Tag   *Gabriele von Hippel-Schäfer* 11
Weltumspannend   *Kurt Svatek* 121
Wenn ich schreibe   *Rita Gabler* 70
... wer es könnte ...   *Margaretha Schmucker* 23
Wetterlage   *Gerda Selberg* 109
Wie eine Feder   *Erika Lorenz* 153
Wolkenwege   *Klaus Sempert* 141
Worte   *Brigitte Richter* 91
Wörter   *Erika Zeiß* 148
Wortfluß   *Ingeborg Conradt* 45
Wort vom Wort   *Detlev Block* 20
Würde   *Richard Staab* 39
Zauberworte   *Rita Herweg* 28
Zeit   *Vera Gembicki* 165
Zuspruch   *Wolf Wichert* 29
Zwischen den Zeilen   *Gabriele Markus* 26

197

PRESSESTIMMEN ZU DEN AUSGABEN

Die von Theo und Inge Czernik betreute Edition L in Hockenheim hat sich unter Freunden von moderner und zeitkritischer Lyrik mit einer Reihe von Einzelausgaben und Anthologien einen Namen gemacht. Immer wieder sind den beiden Herausgebern dabei niveauvolle und couragierte Gedichtbände gelungen, die in der Fachwelt Bedeutung fanden und einen bedeutenden Beitrag zur deutschen Gegenwartslyrik darstellen. *Mannheimer Morgen*

Eine umsichtige und sorgfältige Auswahl von Gedichten, die Zeugnis ablegen von einer auch heute noch vorhandenen sprachlichen Disziplin, einer poetischen Aussagekraft. *Main-Echo*

Lyrik heute – eine mit Geschmack zusammengestellte Anthologie mit Gedichten von Autoren, die weniger prominent sind, gleichwohl Beachtung verdienen. *Neue Ruhrzeitung*

Die jährlich erscheinenden Anthologien aus dem Verlag „Edition L" haben längst einen hervorragenden Ruf. Theo Czernik versteht es, mit viel Feingefühl die leisen Töne ebenso zu würdigen wie die starken Gefühle. Gerade dies ergibt eine lyrische Mischung, die zum Lesen niemals langweilig wird. *Lübecker Nachrichten*

Unerklärlich, warum Lyrik es auf dem deutschen Buchmarkt so schwer hat. In der Edition L braucht man hinsichtlich der Qualität keine Befürchtungen zu hegen. Die Bände könnte man blind erwerben: Sie alle sind von einer Kraft des Wortes, die man manchem berühmten Autor wünschen würde. *Speyerer Tagespost*

Wer Gedichte liebt, dem sei der Lyrikband, der zweifellos eine Entdeckung und Bereicherung für die deutsche Lyrik darstellt, wärmstens empfohlen. *Neue Osnabrücker Zeitung*

Ein kleines Fest in diesem Band zu blättern. Die Auswahl ist sicher und streng getroffen. Eine lobenswerte verlegerische Leistung. *Deutsche Tagespost*

Es gibt viele kleine Verlage in der Bundesrepublik, aber nur wenige, die neben Inhaltlichem auch soviel Wert auf das Äußere legen. *Badische Neueste Nachrichten*

Theo Czernik, 1929 im heutigen Tschechien geboren, studierte Graphik und Theologie. Schriftstellerisch und publizistisch tätig veröffentlichte er in seiner Zeit als Werbeleiter in der Industrie mit seiner Frau Inge Gedichtanthologien relativ unbekannter zeitgenössischer Autoren. Diese Ausgaben fanden Beachtung, manche ihrer Lyriker bekamen literarische Auszeichnungen – das führte zur Firmierung Edition L (L für Lyrik und Loßburg, dem Wohnsitz bei Freudenstadt).

Die Eheleute Czernik veranstalteten seit 1984 für ihre Autoren die Tagungen „Lyrischer Oktober" auf der Comburg bei Schwäbisch Hall. Das wachsende Interesse in der Lyrikszene an diesen Lesungen, Referaten und Workshops führte 1989 zu den „Freudenstädter Lyriktagen". Ihr Ziel war, dem Gedicht in der Öffentlichkeit jenen Stellenwert zu geben, den es verdient, und Wege dafür zu suchen. Diese Veranstaltungen, zu denen auch Autoren aus dem Ausland kamen, wurden von literarischer Prominenz eröffnet wie Marcel Reich-Ranicki, Hilde Domin, Wolf Biermann, Hans-Jürgen Heise, Ulla Hahn u.a.

1993 erfolgte ein Umzug des Verlages nach Hockenheim, wo Inge Czernik im gleichen Jahr verstarb.

Mit ihrer christlich-humanistischen Verlagslinie bemüht sich die Edition L, Lyrik aus dem Abseits zu holen, das Gedicht als eine Botschaft zu sehen, als empirisches Anschauungsmaterial und nicht als Darstellung abstrakter, experimentell verschlüsselter Gedanken – unter dem Motto: Lyrik wieder lieben lernen.